l'homme face à sa violence

Institut d'études religieuses
et pastorales de Toulouse

LES ÉDITIONS DU CERF

29, bd Latour-Maubourg, Paris
1984

© *Les Éditions du Cerf*, 1984
ISBN 2-204-02171-7
ISSN 0182-2047

AVANT-PROPOS

La multiplicité des propositions de l'Institut d'études religieuses et pastorales se noue autour d'un projet spécifique de formation ; l'expérience montre que des fils conducteurs se tissent entre les différents cours. Certaines questions reçoivent des éclairages complémentaires, cristallisent la réflexion.

Le groupe de travail des professeurs, depuis plusieurs années, a voulu donner corps à ces recherches en proposant de façon systématique un travail pluridisciplinaire. Telle` est l'origine de la session annuelle de l'IERP, moment privilégié situé à la charnière des deux semestres de l'année universitaire.

Le thème retenu pour les 7 et 8 février 1983 est désigné d'un mot : La « violence ». Nous vivons dans un monde de violence dont les médias se font abondamment l'écho. Quelle conscience en avons-nous ? Quelle approche en faisons-nous ? En quoi l'Évangile aide-t-il les chrétiens à se situer dans ce contexte ? Les questions sont nombreuses et vastes...

L'équipe des professeurs délègue ceux d'entre eux qui vont se charger de baliser la recherche, les étudiants étant les artisans d'un questionnement propre à faire rebondir les débats autour de la table ronde finale.

La qualité de la réflexion et l'intérêt manifesté par tous les participants ont suscité, chez les professeurs, le désir d'approfondir leurs interventions. Différences, *convergences traversent cette approche volontairement plurielle, et soulignent les arêtes d'une réalité incontournable aujourd'hui.*

Ainsi constitué, ce dossier aura atteint son but s'il donne à d'autres des éléments de travail, et le goût de poursuivre.

Françoise SCHILL,
directrice de l'IERP.

INTRODUCTION

UN SUJET
AUX DIMENSIONS DE L'HOMME
par Henri COULEAU*

La violence est un fait « massif » de nos sociétés. Si l'on additionne toutes les formes qu'elle peut revêtir, depuis les plus apparentes comme l'agression physique, armée et brutale, jusqu'aux plus insidieuses comme la ségrégation et l'exclusion, en passant par tous les comportements qui manifestent la volonté de détruire l'autre en le traitant comme un objet, au niveau individuel et collectif.

Mais la violence est-elle nouvelle ? Notre époque réalise-t-elle le triste record de tous les temps ? On cite par ailleurs des périodes de l'Antiquité ou du Moyen Age qui n'avaient rien à nous envier sur ce point. Longtemps après les hordes barbares, les grands conquérants comme Alexandre le Grand ou Gengis khān, pour ne citer qu'eux, n'ont pas établi leur empire et fait régner leur ordre politique sans commettre de nombreux massacres. L'atrocité de cette reine de Byzance qui fit aveu-

---

* Professeur de philosophie, détaché au Centre de formation des enseignants spécialisés de l'académie de Toulouse.

gler son jeune fils pour l'empêcher de régner et se substituer à lui ou les célèbres cages de fer de Louis XI ne sont pas de tendres épisodes de l'histoire du monde. Il semblerait bien que la violence ait été, depuis la nuit des temps, la triste compagne de l'homme.

Ainsi Voltaire, dans *L'Essai sur les mœurs*, concluait : « Toute l'histoire des hommes est un ramas de crimes, de folies et de malheurs, parmi lesquels nous avons vu quelques vertus, quelques temps heureux, comme on découvre des habitations répandues çà et là dans des déserts sauvages. » Partageant l'optimisme des encyclopédistes sur l'avenir de la civilisation, Voltaire prévoyait la fin de tous ces maux dans le « raffinement » des mœurs. Hélas ! nous avons connu tout autant de raffinement dans la torture. La science et les techniques n'ont pas tenu les promesses du siècle des Lumières. Avec certains « progrès », la violence n'en fut que mieux armée et plus puissante.

D'aucuns diront que l'actualité du sujet ne tient qu'au fait d'une ample information : en effet les différents médias rapportent mieux que jadis tous les faits de violence dans le monde, d'ailleurs en certains cas avec complaisance, ou du moins dans des intentions qui ne sont pas toujours sans ambiguïté. Qui plus est, ces mêmes médias, indépendamment du contenu du message, produisent, si l'on peut dire, de la violence par la nature « forte » de l'image et, d'une façon générale, par toutes les techniques de conditionnement qui font nécessairement partie de l'information moderne — ce sujet sera abordé ici par Bernard Ricart. Mais l'actualité de la violence ne tient-elle qu'à de nouveaux moyens de communication ?

On peut parler, de nos jours, d'une « démesure ». La guerre, jadis, a parfois joué la fonction d'un rite, d'un art chevaleresque. Parée encore des valeurs de courage et de fierté, elle a pu être un idéal de vie autant qu'un acte de mort. De toute façon, les combats n'avaient que des conséquences limitées. Alors que depuis au moins un siècle, la guerre est devenue une entreprise industrielle, où des intérêts d'argent seulement, et non plus d'honneur, se cachent derrière ceux qui se combattent, et qui ne sont souvent que de malheureux « tiers perdants » (comme on le voit actuellement dans les conflits du « tiers » monde). Cette actualité, sur laquelle nous nous interrogeons, est d'abord là : en intensité la violence a atteint au XXᵉ siècle son degré absolu ; la dimension thermonucléaire d'un conflit mondial ne laisserait même plus la place du vainqueur, l'autodestruction de l'humanité en serait la seule issue. Et face à ce danger permanent, l'équilibre des forces n'est en fait, comme beaucoup l'ont dit, qu'un équilibre de la terreur, la violence de la peur.

Mais on peut se demander si, autant qu'une différence de degré, la violence ne revêt pas de nos jours une différence de nature : on détient actuellement les moyens de détruire l'autre, si l'on peut dire, « à son insu ». Ce sont tous les conditionnements qui font que l'homme ne pense plus, ou bien, ce qui est pis, pense encore, mais différemment. A la mort de Dieu annoncée par Nietzsche, certains philosophes aujourd'hui ajoutent la mort de l'homme. S'il y a toujours eu des affrontements de toutes sortes entre les hommes, le « civilisé » a surpassé le sauvage dans cette violence réfléchie, froide, rationnelle, si l'on ose dire, qui n'est plus commise dans l'élan de la colère et de l'émotion, mais selon une intelligence et une volonté. La pire des violences n'est pas celle qui se situe au niveau de l'impulsion — que nous partageons d'ailleurs avec l'animal —, mais au niveau d'une certaine « raison ». En dépit de la thèse de Lorenz, sur laquelle nous reviendrons plus tard, l'homme ne trouve pas de véritable modèle de « sa » violence dans le règne animal. La « volonté » de détruire est proprement humaine. Le problème que la violence nous pose est alors celui du « Mal », dont les animaux sont innocents.

La force a depuis longtemps réclamé le droit pour elle. C'était déjà l'argumentation de Calliclès, célèbre sophiste du *Gorgias* de Platon. Hobbes, avec moins d'insolence, semble-t-il, s'y résignait en déclarant que le droit était au plus fort « dans l'intérêt des peuples ». Hegel puis Marx tenteront de confondre cette force avec le mouvement nécessaire et dialectique de l'Histoire, qui nous prépare des jours meilleurs.

Mais aujourd'hui, loin des idéologies, il semble que jamais cette violence de « droit » n'ait été pratiquée avec autant d'assurance, de calcul, et, disons-le, de profit, à l'abri de tout sentiment de culpabilité. A un niveau mondial l'égoïsme de certains condamne d'autres à mourir de faim, et cela sans agression spectaculaire. Sommes-nous coupables, nous, l'Occident — que certains voudraient aujourd'hui débarrasser de ses complexes ? La fin du colonialisme ne doit pas nous cacher l'exploitation de l'homme par l'homme, qui se continue de nation à nation, sur le plan économique en particulier. Le monde s'est agrandi, mais sans avoir pour autant ce « supplément d'âme » que demandait Bergson. La responsabilité de tous s'en trouve augmentée.

Ainsi la violence, loin de se résorber à mesure que le « progrès » de la civilisation avance, semble au contraire croître avec ce progrès, comme si l'homme, ne pouvant lui échapper, la développait à mesure qu'il augmente son savoir et sa puissance. Son pouvoir de détruire grandit inexorablement avec son pouvoir de créer. En dépit de l'analyse historique — qui reste certes indispensable au niveau individuel et collectif —, il ne nous est pas permis de considérer la violence comme un accident, que nous situons d'ailleurs toujours chez les autres. Pour nous, c'est le « criminel » qui est violent.

Mais ce criminel est encore un homme « aussi humain que le saint », nous dit Fromm, un psychanalyste contemporain ; il ajoute : « Ce criminel n'a pas su répondre au défi d'être né humain, mais il n'en reste pas moins un homme qui s'est trompé de chemin dans la recherche de son salut. » Bref, la violence, qui apparaît sous des formes et des degrés divers chez les uns et les autres, demeure une « capacité » de l'homme, de tous les hommes, de chacun de nous. C'est au niveau « ontologique » que se situe, en dernière analyse, le problème.

Voilà donc un sujet aux dimensions de l'homme lui-même. C'est pourquoi nous avons pensé qu'il était nécessaire de pratiquer plusieurs types d'approches : psychologique, sociologique, historique, philosophique, théologique. Au-delà des faits, nous voudrions nous situer face aux diverses analyses qui ont été faites de la violence. Ces analyses ne sont d'ailleurs pas sans recouvrir des choix idéologiques, qu'il appartient bien aux différents auteurs de faire, mais que nous pouvons à notre tour adopter ou refuser, souvent nuancer.

Nous pensons aussi que mieux connaître les mécanismes de la violence sur les plans biologique, psychanalytique, anthropologique, c'est déjà prendre du recul par rapport à celle qui est en chacun de nous.

Enfin, nous avons peut-être à apporter une réponse à la problématique de la violence. Si la violence nous apparaît être de tous les temps et de tous les hommes, qu'est-ce donc qui peut la vaincre ?

Chapitre premier

LA VIOLENCE DANS LES MÉDIAS
par Bernard RICART*

On parle beaucoup de violence des médias comme s'ils étaient violents en eux-mêmes. On oublie parfois qu'ils ne sont que le prolongement démultiplié de nos sens pour une communication. C'est donc l'homme qui peut devenir violent dans ses communications.

Les médias, amplificateurs extraordinaires de la voix de l'homme, de sa vue, son oreille, son toucher, peuvent devenir pour lui un jeu, et, de toute façon, un pouvoir dans lequel la griserie est toujours possible.

De nombreux travaux ont été faits sur la question. Nous suggérerons simplement quelques réflexions.

La violence dans les films, téléfilms et feuilletons

Toutes les études reconnaissent la complexité du problème tout en demeurant très nuancées. Dans la revue *Autrement*[1], Françoise Tardan fait référence à une

---

* Directeur du service audiovisuel de l'Institut catholique de Toulouse.

1. Françoise TARDAN, « Attention les enfants regardent », p. 67, *in* la revue *Autrement*, n° 36, janvier 1982.

11

étude américaine donnant une augmentation de 16 pour 100 d'arrestations de jeunes pour délits graves, entre les années 1952 et 1972, période où la TV a pris une place croissante : « Les images de violences apportées par la TV, dit-elle, ne sont pas neutres, mais, comme le dit le vieil adage : "Tout ce qui est reçu l'est suivant celui qui reçoit…" […] D'après les enquêtes et études réalisées en laboratoire, il semble que la violence à la télévision ne transforme pas en délinquant un enfant qui a des attaches affectives solides avec ses parents et qui est intégré socialement. » Cet impact de violence est donc fortement pondéré par l'état du sujet et son environnement immédiat. Il reste cependant indéniable que les scènes violentes peuvent donner des idées, au moins au niveau des moyens. Chez les enfants, le western ne semble pas être reçu aussi violemment que certains parents le croient. Le spectacle, dont ils apprennent à la longue les règles, deviennent pour eux un jeu et, par conséquent, perd son caractère dramatique. De plus, dans ce cinéma populaire, les prises de vues, rarement en gros plans, gomment la vision réaliste de la souffrance.

Les adultes se posent souvent pour eux-mêmes moins de questions. La violence apparaît parfois un exutoire bien commode. Dans les imbroglios quotidiens de violences contenues avec plus ou moins d'exaspération, il semble « libérateur » de pouvoir, dans un fauteuil, se projeter dans des scènes de brutalité, de guerres ou d'horreurs dans lesquelles on a l'impression de régler un peu ses comptes.

Projection purgative des malaises obscurs et inconscients ou renforcement de ces pulsions dangereuses ?… La question reste ouverte.

La violence de l'actualité rapportée par les médias

L'enfant fait très vite la distinction entre un western et une scène de la guerre du Liban ou d'un autre point chaud du globe. Il comprend intuitivement que, là, ce n'est plus du jeu... Et ces images fortes, il les gardera longtemps.

« Moi je m'avais mis les mains sur les oreilles parce que le journal, ça me fait peur[2]. »

Chez l'adulte, la vision de situations violentes qui lui sont rendues proches par les médias vont développer en lui un sentiment d'écrasement, d'incapacité, de culpabilité et de doute sur un avenir possible. Nous avons tous vu la guerre du Viêt-nam sans l'avoir faite, et nous n'avons rien pu faire. Voir sans rien dire, c'est être complice, d'autant que nous n'avons guère la possibilité réelle de réprobation. Nous avons déjà du mal à démêler les soucis du quotidien, et nous absorbons tous les soirs les tragédies des guerres, accidents, catastrophes... L'effet, comme celle d'une drogue, mine peu à peu nos espoirs en nos capacités d'inventer des solutions.

L'agressivité publicitaire

La communication personnelle et collective s'est sophistiquée. Autrefois gérée intuitivement, elle est aujourd'hui une technique complexe où l'émetteur a la possibilité, s'il en prend les moyens, de ne rien laisser au hasard.

Le message est précis, les canaux (images, slogans, bande-son) sont le fruit de laboratoires d'études groupant psychologues et concepteurs. Ils seront testés scientifiquement, et le service du marketing saura orchestrer l'accompagnement du message. C'est la campagne publicitaire.

2. Howard BUTEN, *Quand j'avais cinq ans je m'ai tué,* Seuil, coll. « Virgule 81 ».

« Un message audiovisuel, pour être perçu, doit ajouter à l'information un certain nombre d'éléments accrocheurs. Sorte de vibrato perpétuel accompagnant l'information et lui faisant écho[3]. »

Ainsi, par le maximum de canaux, au *même moment* et de *manières diverses*, le récepteur sera sollicité par le même message. C'est en sorte la cage de verre où, quel que soit le côté que vous abordiez, c'est toujours le même produit qui vous est offert. Cette comparaison, à dessein excessive, met en évidence la pression agressive de la publicité derrière le masque séducteur qu'elle se donne. Mais, heureusement, la réalité toujours plus complexe nous laisse encore des issues de secours et, avant d'emboucher les trompettes de la « publiphobie », très courante chez les chrétiens, il serait bon de donner au récepteur les chances d'une réelle éducation à la communication. Par effet de *boomerang*, d'ailleurs, la publicité, qui n'est ni bonne ni mauvaise en soi, serait acculée à changer ses arguments.

Les faits divers à forte sensation

Cette sollicitation permanente et agressive de nos sens crée l'événement et change nos échelles de valeurs. Le fait divers devient plus important que le train-train quotidien parce que plus chargé émotivement.

Pourtant, c'est la vie de tous les jours qui reste le vrai lieu de nos combats, de nos espoirs, de nos relations. Mais, dans la durée, le quotidien a moins de sel que des événements ponctuels, souvent lointains, que certains journaux à sensation sauront savamment orchestrer en touchant quelque part en nous une complicité secrète.

---

3. J.-P. GOURÉVITCH, *La Formation permanente*, janvier 1977.

L'arrosage radiophonique

On a beaucoup parlé de la violence des images, on parle moins de celle liée au son. Le vide juridique est sur ce point significatif. L'espace visuel est protégé. Ainsi, pour l'obtention d'un permis de construire se posent souvent des questions de regards sur les vis-à-vis. Mais il vous reste la possibilité d'envahir vos voisins en arrosant leur espace acoustique de votre émission radio préférée, entre 8 heures du matin et 22 heures, parce que, pour vous, ça vous détend. L'été, les voitures, vitres ouvertes, se transforment souvent en arroseuses radiophoniques dans les rues de nos villes.

Dans l'environnement sonore quotidien, la radio a pris aujourd'hui le relais des cloches au Moyen Age. Cette excitation permanente du *stimulus* auditif est une source de fatigue nerveuse, d'exaspération et d'agressivité.

L'été 1983 aura été marqué dans les cités et les grands ensembles par la succession regrettable de ces « faits divers » qui ont fait de citoyens sans histoire des meurtriers parce que le bruit les agressait.

Il faudrait parler aussi des musiques de supermarchés et autres lieux de vente, la « Mozak-music » importée des États-Unis qui, par des rythmes lénifiants et surtout sans fin, vous retient à l'intérieur de ce nid sécurisant qu'est le supermarché.

La violence émotive

Cette exacerbation épidermique nous voue à tous les pièges sentimentaux et tous les chantages affectifs.

Comment résister au vieux monsieur ou à la vieille dame, qui, en gros plan sur votre TV, d'une voix chaude et brisée par l'émotion, les yeux larmoyants de préférence, viendra vous solliciter pour l'une des nombreuses causes qui jalonnent nos dimanches de l'année. Cette utilisation régulière de nos émotions, quand elle n'est pas appuyée par une information sérieuse et moins « accrocheuse », n'est pas moins dangereuse que le matraquage publicitaire d'un quelconque produit. Il s'agit d'un chantage affectif qui n'a d'ailleurs que le pouvoir de réveiller le spectateur juste le temps de glisser la pièce dans le tronc qu'on lui tend : pouvoir de courte durée, qui ne fait guère avancer la résolution des problèmes, mais qui laisse toujours une trace d'amère impuissance chez le récepteur à nouveau endormi. Que le lecteur se rassure, il ne s'agit pas de décourager les bonnes volontés ni de discréditer les militants souvent admirables de ces causes. Mais il s'agit d'être au clair sur les moyens, et, en aucun cas, le chantage ne peut être édifié en institution.

La relation... sans médium

Curieusement, le fait de rentrer en contact directement en court-circuitant l'espace et le temps, nous donne l'illusion d'une communication transparente où il n'y aurait aucun parasite... La relation par les médias s'inscrit dans la durée. C'est une chance mais, aussi, un risque. Tel reportage sur l'Inde me mettra en contact directement avec des hommes et des femmes qui me parleront de leurs problèmes. J'entendrai leurs paroles ; je croirai les connaître. Et pourtant, tant que je n'aurai pas pris le temps du voyage, de la préparation à ce voyage, de la plongée sur une terre inconnue pendant un certain temps, je risque de me faire illusion.

C'est l'illusion de la relation transparente, immédiate et totale. D'où les slogans accrocheurs : « Découvrez X intime » ou « Monsieur Y, qui êtes-vous réellement ? »

C'est aussi l'enthousiasme rapide, fascinant et fugace pour tel ou tel, aujourd'hui sur la scène, demain dans l'oubli.

16

Il est à craindre que ces quelques réflexions donnent des médias une vision diabolique. Tel n'est pas notre propos. Comme nous le disions au début, la violence des médias ne vient pas des médias en eux-mêmes, mais de l'incapacité de l'homme à les bien gérer.

Il s'agit d'un rapport de forces démesurément inégal entre émetteur et récepteur. Seul, l'entraînement à l'esprit critique par l'apprentissage des moyens de communication peut réellement permettre d'atténuer ce déséquilibre. A émetteur fort, il faut un récepteur fort. Devant Goliath, apprenons à être David.

Chapitre II

APPROCHE SOCIOLOGIQUE
DE LA VIOLENCE[1]
par Jacques ABADIE*

En 564 avant Jésus-Christ, Arrachion de Phigalie, qui comptait déjà deux victoires lors de précédents jeux Olympiques, fut étranglé au cours de sa troisième tentative. Les juges couronnèrent cependant son cadavre de la couronne d'olivier car il avait réussi, avant d'être tué, à briser les orteils de son adversaire que la douleur contraignit à l'abandon.

Il n'était pas rare, dans le pancrace antique — sorte de lutte au sol —, qu'un concurrent soit blessé, tué ou estropié à vie. Les chroniqueurs nous ont ainsi rapporté que Léontiskos de Messène, dans la première moitié du Ve siècle avant Jésus-Christ, obtint ses victoires en brisant les doigts de ses adversaires.

---

* Assistant de sociologie à l'École nationale supérieure d'agronomie de Toulouse (ENSAT).

1. Cette approche doit beaucoup à l'article de Norbert ELIAS, « Sport et violence », paru dans le n° 6 des *Actes de la recherche en sciences sociales*, 1976.

Les jeux Olympiques antiques durèrent plus de mille ans, attirant tous les quatre ans des participants par milliers. Ils ont eu une grande influence sur l'ensemble de la civilisation hellénique, et les témoignages parvenus jusqu'à nous en portent la marque. Que ce soit la sculpture, par exemple, avec l'importance donnée à la beauté plastique du corps, ou la littérature avec l'œuvre de Pindare qui a célébré en vers immortels la gloire des vainqueurs.

De plus, nous savons que cette manifestation attirait, parmi les spectateurs, suffisamment d'esprits cultivés pour que Hérodote puisse faire lire devant eux une partie de ses *Histoires*, et que des orateurs et des philosophes aussi prestigieux que Démosthène, Eschyle ou Socrate puissent rédiger pour eux des discours. Nous savons également que Platon participa directement à ces jeux et y obtint des victoires.

A côté des jeux Olympiques, existèrent de nombreux autres jeux dans les différentes cités du monde grec, tels les jeux Pythiques à Delphes, Isthmiques à Corinthe ou Néméens à Némée. Bien qu'ils n'aient pas eu l'importance de ceux d'Olympie, leur nombre montre l'importance qu'ils avaient dans la vie sociale des Grecs. Et il ne fait aucun doute que ces derniers éprouvaient un plaisir intense au spectacle de la violence physique, et que la vue de blessures ou de sang faisait partie intégrante de ce plaisir.

Comment comprendre et expliquer qu'un peuple aussi raffiné ait pu prendre plaisir à des jeux aussi violents, alors que, dans le même temps, ce même peuple produisait des réalisations capitales dans les domaines de la sculpture, de l'architecture, de la littérature et de la philosophie ?

Violence et organisation sociale

Notre difficulté à comprendre est étroitement liée à notre conception actuelle de la violence : nous avons l'impression de diminuer la valeur de la civilisation grecque à devoir admettre que le niveau de violence qui y était alors toléré est nettement supérieur à celui que nous considérons comme normal. Nous retrouvons là l'une des catégories fondamentales de notre système de pensée qui oppose civilisation et barbarie et apparente violence à barbarie.

Pour saisir ce qui se passait dans la société grecque, il nous faut nous reporter à l'organisation sociale existant à leur époque, et au degré de sécurité offert par cette société. Souvenons-nous que les cités qui la composaient étaient perpétuellement en guerre les unes contre les autres, que la sécurité y était précaire, et que les citoyens en armes assuraient eux-mêmes directement la défense de leur cité.

Par opposition, dans nos États modernes, l'expression « état de guerre » sert à désigner des périodes tout à fait exceptionnelles et à durée limitée dans le temps, la situation normale étant la paix. La sécurité physique que nous ressentons et que nous offrent nos sociétés est sans comparaison avec celle qui existait dans l'Antiquité, ou même à des périodes plus récentes de notre histoire — le Moyen Age par exemple.

Cette sécurité est obtenue par une organisation sociale beaucoup plus centralisée, l'État étant directement chargé de l'assurer par l'intermédiaire d'institutions spécialisées : l'armée, la police et la justice essentiellement. Ces institutions nous apparaissent comme neutres et impersonnelles. A travers elles, c'est l'État qui détient le monopole de la violence légitime et de l'exercice légitime de cette violence. C'est pourquoi le port d'armes est rigoureusement réglementé, c'est pourquoi aussi la

« peine de mort » peut faire partie de l'« arsenal » législatif et juridique.

En revanche, dans les cités grecques le niveau de violence physique socialement admis était supérieur, alors que le seuil de répugnance à l'emploi ou au spectacle de la violence était beaucoup plus bas. Les citoyens étaient les dépositaires directs et légitimes de cette violence. N'oublions pas que le père de famille avait droit de vie ou de mort sur l'enfant qui venait de naître.

A partir de ces exemples, il est clair que le niveau de violence socialement toléré varie selon les civilisations et selon les périodes historiques. Il n'est pas stable et dépend étroitement du niveau d'organisation atteint dans le contrôle de l'exercice de la violence. Il est corrélatif à une formation correspondante de la conscience sociale. C'est la représentation que nous nous faisons de la violence qui détermine notre seuil de sensibilité à cette dernière.

Nos sociétés modernes ont institué un monopole et un contrôle institutionnel de la violence perfectionnés. Or dans un système démocratique, cette monopolisation ne peut se faire qu'avec le consentement ou consensus des citoyens, puisque transférer des citoyens à l'État l'exercice de la violence légitime revient à en déposséder ceux-ci dans le même temps.

Nous retrouvons par ce biais l'actualité récente des débats qui ont agité les Français à propos de l'ensemble de lois baptisé « Sécurité et Liberté » : ne pouvant se défendre par lui-même sauf dans des cas extrêmes (légitime défense), le citoyen demande à l'État de renforcer son système juridico-policier pour assurer cette défense face à une insécurité réelle ou supposée, ressentie ou présentée comme plus menaçante. D'où le relief pris également par certaines actions de légitime défense, et l'importance que leur ont accordé les médias.

La sensibilité à la violence est donc l'expression étroite

d'une sensibilité sociale, autrement dit, elle traduit le niveau des normes relatives à l'usage de la force physique. Par rapport à l'Antiquité, nous vivons dans une société très sensible aux actes de violence. Cette sensibilité se traduit au niveau des individus par un sentiment de répugnance ou de répulsion lorsque est dépassé le seuil socialement toléré.

L'apprentissage de ces normes suppose l'intériorisation, l'incorporation des critères subjectifs qui provoquent la « bonne » ou la « mauvaise conscience ». Cet apprentissage est le résultat de toute une éducation d'autant mieux réussie que le sentiment de répulsion apparaît comme plus naturel. En fait, ce sentiment de répulsion obéit à des normes spécifiques d'autocontrôle qui provoquent un sentiment de mauvaise conscience quand elles sont transgressées.

Ces normes s'ordonnent à l'intérieur d'un ensemble plus vaste orienté par un certain nombre de valeurs ou de mythes sur lesquels repose notre société, tels que la civilisation, le progrès pris dans son sens général, ou comme progrès historique ou social, ou encore entendu comme le progrès de l'humanité.

Ces normes sont également renforcées par une série d'éléments plus objectifs que l'on peut résumer par le mieux-être produit par notre société : ce sont les progrès de la médecine et de la chirurgie, et l'ensemble des progrès techniques qui ont rendu la survie et la vie des hommes moins pénibles physiquement. En fait, ce sont tous les éléments qui ont contribué à diminuer la souffrance physique.

Violence et groupes sociaux

Une analyse plus fine de la réalité sociale montre des attitudes différentes par rapport à la violence, les groupes sociaux ne partageant pas une seule attitude commune. Il n'est pas nécessaire de faire de longues études pour savoir que les spectateurs d'un combat de boxe ne sont pas tout à fait les mêmes que ceux d'un tournoi de tennis.

La boxe, par la violence physique qu'elle suppose, n'entraîne pas l'adhésion de l'ensemble de la population. Du fait de cette violence, elle est souvent perçue comme un sport de peu de noblesse et pour lequel s'exprime parfois du mépris. D'une manière générale, on la qualifie de sport populaire, ce qui n'est pas également vrai du tennis, même si l'on parle de phénomène de démocratisation à propos de ce dernier.

Dans sa réalisation, la boxe suppose une mise en jeu directe des corps à travers l'affrontement physique « au corps à corps ». Si l'on utilise les expressions de mise en jeu ou d'affrontement lors de matches de tennis, de par la médiation instrumentale de la balle et des raquettes cet affrontement exclut le contact direct des corps des joueurs. Le risque physique y est sans commune mesure avec celui encouru dans une rencontre de boxe.

A travers l'exemple de ces deux pratiques socialement typées, on voit apparaître que le rapport que les individus entretiennent avec leur corps est largement socialisé, la société produisant des images de corps différentes selon les groupes sociaux qui la composent. Si l'on associe boxe et sport populaire, c'est que la violence physique de l'affrontement corporel direct est perçue comme étant en accord avec le mode de vie et le système de valeurs des couches populaires de la société.

Il est vrai que c'est dans les milieux populaires que le culte de la virilité est actuellement le plus fort. D'une manière générale, les ouvriers valorisent la force du corps, sa résistance aussi bien à l'effort qu'à la souffrance. Nous savons, par les études spécialisées réalisées en ce domaine, que la consommation médicale des ouvriers, estimée en nombre de visites chez le médecin, ou le spécialiste, et en nombre de journées d'hospitalisation, est moindre que celle des cadres. En revanche, la moyenne des durées d'hospitalisation est plus longue. Cela signifie que les ouvriers ont moins fréquemment recours aux services de l'hôpital, mais que, lorsqu'ils y sont admis, ils y restent pour des périodes plus longues.

Cette attitude est à interpréter comme une forme particulière du rapport social à la violence. Les ouvriers ne sont pas moins souvent malades que les cadres, mais ils attendent plus longtemps avant d'avoir recours au médecin. S'ils restent plus longtemps hospitalisés, c'est parce que souvent ils ont retardé l'échéance de l'hospitalisation, rendant celle-ci plus délicate et donc plus longue.

Les milieux populaires tirent leurs revenus de formes de travail qui mettent directement en jeu leur corps : alors que les cadres vendent à une entreprise leur savoir et leur compétence, les ouvriers vendent avant tout leur force physique. Il apparaît donc normal que ces derniers valorisent la force, l'endurance et la résistance de leur corps, qui est l'instrument direct de leur travail.

De ce fait, le spectacle d'une certaine violence physique leur répugne moins qu'à d'autres groupes sociaux. Les spectacles dits populaires mettent souvent le corps directement en jeu : la boxe, le catch, le rugby, le cyclisme, le cirque, les cascades automobiles ou le cinéma qui fait une large place aux arts martiaux (cf. les « Bruce Lee »). Ils supposent force physique, vaillance, courage et endurance. Autant de valeurs qui sont nécessaires pour endurer la condition ouvrière, que ce soit par le type des emplois proposés ou l'ensemble des conditions de vie (logement et perspectives d'avenir, notamment).

En revanche, dans les milieux bourgeois, le corps apparaît plus comme un emblème social. Il est donc l'objet de traitements visant à l'entretenir et à améliorer son apparence ou son fonctionnement, la douleur étant rapidement ressentie comme morbide. La consommation médicale est supérieure, et les activités physiques pratiquées visent à un entretien du corps de longue durée : on pratique plus de sports individuels et à des âges plus avancés.

Les normes spécifiques d'autocontrôle se manifestent par une sensibilité accrue à l'égard des actes de violence, qui trouve un parallèle dans le langage : un emploi beaucoup plus restrictif ou un bannissement des jurons. Cette sensibilité différente est une forme occulte de rapport de domination : le bon goût des milieux bourgeois réprouve la vulgarité et condamne la violence physique. L'imposition de ce bon goût comme socialement légitime et universellement reconnu implique la renonciation par les milieux populaires sous forme de mauvais goût ou de mauvaise conscience aux plaisirs spécifiques liés pour eux à la vue et à l'usage d'une certaine violence.

Il n'est pas besoin non plus de grandes exégèses sociales pour comprendre tout le bénéfice que peut retirer une bourgeoisie de la proscription de la violence physique dans les rapports sociaux, en faisant apparaître comme seule légitime la contre-violence des institutions étatiques à travers l'action de la police et de l'armée. Nous voyons apparaître là une nouvelle forme de violence, plus sophistiquée, plus insidieuse peut-être : la violence symbolique, que l'on peut définir comme « la forme douce et larvée que prend la violence lorsque la violence ouverte est impossible[2] ».

2. Pierre BOURDIEU, *Le Sens pratique*, Minuit, 1980, p. 230.

Conclusion

La violence est à la base de l'existence des hommes : la survie est un combat quotidien de l'homme contre la nature, et des hommes entre eux dans son appropriation. Les conditions sociales de la production, de la répartition et de la consommation tendent par l'institutionnalisation à circonscrire cette violence.

Suivant l'état de développement d'une société, selon son degré d'organisation, le degré de violence reconnu comme socialement légitime varie, et une bonne part de la stratégie des acteurs sociaux — groupes ou individus — a pour finalité la définition du monopole de la violence légitime.

C'est pourquoi tout discours sur la violence devient rapidement discours politique, dans la mesure où l'institutionnalisation des formes de violence légitime correspond à la cristallisation des rapports de forces réels entre acteurs sociaux.

Notre société a très largement centralisé le monopole de l'usage légitime de la violence physique. Il semble bien que ce que l'on appelle « société des médias » traduise un déplacement des enjeux vers la définition des usages légitimes de la violence symbolique.

Nous en voyons l'illustration à travers des événements très fortement médiatisés, telles les grèves de la faim ou les prises d'otages. Face à une violence cachée — une situation personnelle ou sociale ressentie comme injuste, par exemple —, la contre-violence des acteurs sociaux s'exprime à travers le spectacle du chantage à la violence physique. Ce chantage joue sur la valeur symbolique que prend alors le corps humain dans notre imaginaire social.

Chapitre III

CHEMINEMENTS PSYCHOLOGIQUES
par Rolande VELUT*

Énonçant et dénonçant les choses de la vie, leur maquis et leurs chaos, les mots s'appellent et s'interpellent. Racines et sources, branches et affluents, radicaux, préfixes, suffixes, synonymes, antonymes, métaphores et même certaines extravagantes exégèses de perceptions calembouresques nous aident à tracer des pistes de questionnements, des carrefours de significations et, parfois aussi, des chemins de libération. Que violence en appelle souvent à douceur, son apparent contraire, interroge donc quant à la possibilité de frayer passages, allées et venues de l'une à l'autre ; qu'à ce même vocable s'associe en quasi-pléonasme l'adjectif sauvage, comme à douceur celui de civilisé, suggère que ce cheminement nous concerne tous dans nos progrès, nos régressions et stagnations. N'est-ce pas là que devraient s'articuler et prendre sens les projets pédagogiques ? Nos ancêtres d'Athènes le savaient bien puisque pour dire l'idée de civilisation, se refusant à forger un

---

* Psychologue clinicienne, chef de service à la Direction des affaires sanitaires et sociales de la Haute-Garonne.

mot tout neuf, ils ont choisi d'utiliser le signifiant qui témoignait déjà de la douceur et du statut de celui qui s'était laissé apprivoiser, *hemeros*.

Ce passage — possible ? impossible ? difficile assurément — de la violence à la douceur, du sauvage au civilisé nous touchera d'autant plus si nous croyons fermement à ce qui nous a été rapporté en Matthieu 5, 4 de ce que proclamait celui désigné comme le Seigneur et Sauveur de toute l'humanité : « Heureux les doux : ils recevront la terre en partage. »

Violence n'appartient pas au glossaire de la psychologie, mais au vocabulaire de l'homme sage et attentif, celui qui par souci de lucidité qualifie les comportements afin de les situer, classer et repérer les uns par rapport aux autres. Là où celui-ci dit violence, le psychologue parle d'agressivité ou d'agression. Violence et agression sont probablement synonymes, la première n'exprimant pas nécessairement une majoration de la seconde.

Depuis que les hommes se sachant nés, sexués, mortels pensent et écrivent sur le vécu, l'agir et le désir, est posée la question de l'origine de l'agressivité, et nombreux sont ceux qui ont tenté de décrypter ces mystères ! Les conduites d'agression sont-elles seulement et uniquement accidentelles, réactionnelles à telle ou telle situation ? L'agressivité de l'homme serait-elle seulement et uniquement cette fonction partagée avec ceux qu'on nomme nos frères inférieurs, et qui, programmée phylogénétiquement au service de l'individu et de l'espèce nous entraîne à attaquer lorsque nos intérêts vitaux sont menacés, l'attaque cessant dès qu'est détruit ou écarté l'objet menaçant ? Les conduites d'agression ne seraient-elles pas aussi l'actualisation d'une puissance fondamentale tellement spécifique à l'homme qu'elle nous a fait assimiler à cet animal que l'imaginaire collectif désigne comme le pire et le plus sauvage parmi les plus sauvages ? L'homme est un loup pour l'homme : Plaute a pérennisé là une évidence dont le constat à coup sûr le précédait.

L'apport freudien

Les psychologues qui estiment que le freudisme a porté au monde non pas la peste, mais un savoir s'ajoutant à celui transmis par d'autres pour ouvrir des pouvoirs — ni exclusifs ni conclusifs — de construire une existence plus humanisée considèrent que l'agressivité, et donc la violence, est une des données fondamentales de notre humaine condition et non pas un simple accident de parcours. Tous nous y sommes confrontés parce que pétris d'elle ; il est donc impossible de nous construire ou d'aider autrui à se construire ou à se reconstruire sans tenir compte de cette violence primitive et fondamentale, tant celle de l'aidé que celle de l'aidant.

C'est en 1929 dans un de ses ouvrages, *Malaise dans la civilisation*, que Freud affirmera : « L'homme n'est point cet être débonnaire, au cœur assoiffé d'amour, dont on dit qu'il se défend quand on l'attaque, mais un être au contraire qui doit porter au compte de ses données instinctives une bonne somme d'agressivité... L'homme est en effet tenté de satisfaire son besoin d'agression de son prochain, d'exploiter son travail sans dédommagements, de l'utiliser sexuellement sans son consentement, de s'approprier ses biens, de l'humilier, de lui infliger des souffrances, de le martyriser et de le tuer. »

Certes, ceci peut gêner, voire choquer d'aucuns qui préféreraient pouvoir expliquer l'agressivité comme seulement et uniquement réponse à la frustration : si chacun et tous étions un jour comblés de pains et de jeux, la violence, les tourments et les souffrances qu'elle engendre disparaîtraient de la surface de la Terre. Instaurons une société non répressive, proposera Reich, et l'agression disparaîtra ! D'autres, et parfois des pédagogues chrétiens, affirment que la violence ne serait que l'envers de l'amour, comme le recto verso de la même feuille, les côtés pile et face d'une même pièce qui serait l'amour, puissance unique, seule capacité de l'être humain... Meurtres, morsures et blessures équivaudraient à enfantements, baisers et caresses...

Pour le freudisme qui considère l'agressivité comme antérieure au conflit et non pas consécutive, c'est fondamentalement que nos rapports au milieu et à autrui s'originent dans deux grands groupes de pulsions, soit un donné dont nous ne sommes pas initialement responsables. Liée au corporel, la pulsion impose un travail au psychique, précisera Freud qui, dès 1920, se penchant sur le problème de l'agressivité et de l'agression, et donc sous-entendu celui de la violence, affirme qu'existent deux grandes catégories de pulsions, celles de vie et celles de mort, fonctionnant tantôt en parallèle, tantôt intriquées et comme tressées. Empruntant à Empédocle, il les surnommera Éros et Thanatos ; Jung rapporte que, conversant de la pulsion de mort, Freud utilisait constamment ce terme de *Thanatos* devenu courant dans le vocabulaire psychologique d'aujourd'hui bien qu'on ne le retrouve guère sous sa plume.

Éros, ou encore instinct de vie ou pulsions de vie ; Thanatos, instinct de destruction ou pulsions de mort... Ce qu'affirme Freud, mais bien sûr il est permis de le contredire, c'est qu'en chacun de nous niche une pulsion à la destruction, un plaisir à détruire, et qu'il s'exprime dès l'aube de la vie ; de l'agressivité du nourrisson, Mélanie Klein brossera des tableaux goyesques amenant les chantres de la candeur et bonté naturelles à se croire victimes d'hallucinations. Nous ne sommes pas provoqués à détruire seulement parce que dans certaines circonstances, pour pouvoir avancer sur le chemin de la réalisation du désir, il faudrait supprimer l'obstacle, ce qui est la théorie très classique et très thomiste de l'agressivité. Nous sommes, selon la psychologie contemporaine, des gens qui ont plaisir à détruire, et qui vont détruire quelquefois et même parfois gratuitement, pour simplement s'offrir cette jouissance, la passion de détruire, dira Éric Fromm. Thanatos pouvant se réaliser aussi contre nous-mêmes, on affinera le vocabulaire, et des noms communs s'épanouiront sur les traces des perversions projetées tant par le marquis de Sade que par Leopold Sacher-Masoch. Sadisme lorsque la pulsion de destruction se dirige vers l'extérieur; masochisme lorsqu'elle se dirige vers le sujet lui-même, jouissant alors de sa propre destruction.

I. VERS LA CIVILISATION PAR LES INTERDITS

a. Au niveau de l'espèce : phylogenèse

Dès l'aurore de l'humanité, chacun d'entre nous hébergeant ce couple de pulsions, les ancêtres se sont confrontés au tragique : laisser libre champ à l'expression de Thanatos, c'était autoriser la disparition de l'espèce; laisser l'Éros se satisfaire dans l'immédiat, clos sur le consanguin, c'était stagner dans les amours mammifères... Ce qui s'est alors passé, en un temps non daté et donc non archivé, est plus facile à narrer sur le ton de la légende qu'à relater sur celui du rapport scientifique... Le cortex se complexifiant, des génies ont surgi, anonymes mais essentiels pour la civilisation puisque, en vue d'assurer la survie et l'humanisation, ils ont interdit l'expression brutale des pulsions.

Tu ne tueras pas, tu n'auras pas de relation incestueuse ou, comme dit le Lévitique, tu ne découvriras pas la nudité de ton père ni celle de ta mère, ni celle de ton frère ni celle de ta sœur… Ces deux interdits deviendront les prototypes, la matrice de tous ceux qui suivront, et sont leurs filles et petites-filles toutes les lois et réglementations dont le but est d'aider l'homme à vivre et survivre en société malgré et avec son bagage pulsionnel, les pulsions d'Éros et celles de Thanatos.

La sexualité faisant naître des vivants, il fallait les protéger de l'agression d'autrui et, éventuellement, de leur propre agression retournée contre eux-mêmes — d'où sera sans doute éternellement ouverte la question du droit au suicide. Tu ne tueras pas afin de faire vivre et afin de vivre toi-même ; c'est cela qui est en jeu dans cet interdit, la vie, la survie et la transmission de la vie. Le gain de la prohibition de l'inceste, c'est que les vivants, nés de la sexualité et protégés par l'interdit du meurtre, seront à considérer comme des personnes et non plus comme des objets sans demande ni réponse, que l'on violenterait au gré des vagues pulsionnelles. Nous soumettant à cet interdit, nous deviendrons tous et chacun des vivants personnalisés, mutuellement et réciproquement identifiés, se repérant (re-père) les uns par rapport aux autres parce que situés chacun à sa place propre qui ne peut être en même temps celle d'un autre. Se refusant à la fusion incestueuse primitive, immédiate et aveugle et quittant la maison paternelle ainsi que le propose la Genèse, nous rencontrerons les distances d'espace et de temps, conditions nécessaires à l'émergence du désir, à un au-delà du besoin. Nous deviendrons capables d'attendre et d'espérer qu'autrui s'interroge lui aussi quant à sa propre pulsion et à notre désir, et parce que chacun pourra se respecter *(re-spectare)* se brisera le carcan des chosifications, des consommations, des aliénations plus insidieuses que le meurtre brutal, mais pourtant tout autant thanatogènes.

b. Au niveau de l'individu : ontogenèse

Ce qui a ainsi ouvert, pour l'humanité, le passage d'un état de nature à un niveau de culture, chacun de nous, pour son propre compte, doit dans son enfance le recevoir, l'assimiler et l'intérioriser : l'ontogenèse récapitule la phylogenèse. Un homme et une femme se sachant chacun précédé par ses propres parents et donc relatif, s'acceptant né, sexué, mortel et donc limité, renonçant à croupir dans la promiscuité de l'endogamie ont chacun quitté leur maison respective pour aimer ailleurs et donc faire alliance. Leurs forces d'Éros et de Thanatos patiemment converties en amour conjugal, ils ont choisi de mettre au monde des enfants. C'est là, dans la famille ainsi instituée, que de leur naissance jusque vers six ans, les parents, agents de civilisation, dans la tendresse et la fermeté entraînent leurs sauvageons à reparcourir le si long chemin de l'humanisation ; en termes plus techniques, disons que les parents offrent à l'enfant ce qu'on appelle un Surmoi. Chacun sait que le jeune enfant ignorant la distance, la mesure et la rationalité vit et agit ses pulsions sur un mode impérialiste et tyrannique : il faudra *trois grandes phases*, ou stades comparables dans un certain sens aux ères géologiques qui ont formé la Terre que nous habitons et cultivons, pour que la violence pulsionnelle se soumette à la raison, et que vienne le jour où elle la dynamisera de son énergie.

Une année d'oralité pour apprendre, par la médiation de la nourriture, du maternage et de ceux qui nous l'offrent en rythmant gratifications et frustrations, qu'il y a plaisir à rencontrer et à recevoir, et non pas seulement à s'emparer et à capturer..., à élaborer des conduites de convivialité — l'homme ne vit pas seulement de pain —, et pas seulement à dévorer en détruisant tout sur notre passage comme les Huns et leur chef

Attila, du moins tels qu'ils se sont inscrits dans l'album interne des Français.

Deux années pour le deuxième stade où, par la médiation de la marche bipède, la libération de la main et du regard, nous pouvons désormais faire et affronter. D'autres muqueuses deviennent érogènes, celles de l'anus s'ajoutant aux buccales, d'où la dénomination de ce stade : anal. Par l'intelligence du faire, par l'accès au langage et par l'éducation à la propreté, nous apprenons le plaisir d'exercer un pouvoir, celui de dire oui ou non à une demande, tant celle qui émane d'autrui que celle qui émanerait de nous-mêmes ; si la confiance et la disponibilité de la mère nous ont fait saisir qu'il n'est pas honteux que de nous sortent du déchet et des maladresses en tout genre, nous deviendrons plus tard capables de trier, de discriminer et de répondre un oui ou un non fondé et sensé aux autres qui nous sollicitent, et de même un oui ou un non à notre propre désir.

Vient ensuite le stade phallique ; notre sauvagerie et notre tyrannie primitives et congénitales ayant subi bien des défaites, nous nous apercevons que de nos organes génitaux surgit un nouveau mode de plaisir, celui qu'on peut se donner directement par soi-même, alors que les deux précédents dépendaient de la volonté de l'environnement qui donne ou qui demande. Cette jouissance de la masturbation infantile, nous la vivons d'abord comme une ivresse d'indépendance illimitée, mais très vite c'est la découverte de la différenciation anatomique, du monde sexué... Les limites, les interdits, les ordres et les défenses ne sont donc pas seulement ceux que l'environnement, précaire lui aussi, impose à mes forces d'Éros et de Thanatos lorsqu'elles empruntaient la voie de l'oral et de l'anal. Il y a de la limite inhérente à mon sexe, à mon corps ; être femme c'est n'être pas homme, être homme c'est n'être pas femme... Expérience de l'incomplétude fondamentale : je ne suis que garçon et il y a des filles... je ne suis qu'une fille et il y a des garçons... Mes ambitions totalitaires sont ruinées, je ne suis pas suffisant, mais l'autre ne l'est pas non plus, personne ne peut prétendre à la transparence, à la suffisance et à la complétude. La limite et donc l'interdit sont au cœur même de l'existence humaine.

C'est ensuite ce qu'on appelle le *dénouement œdipien*, si toutefois les parents nous offrent un certain nombre de défaites à ce désir de toute-puissance dont bien plus tard nous comprendrons qu'elle était de l'ordre de l'imaginaire. Ces parents perçus et utilisés d'abord dans leur dimension parentale, voilà que, grandissant, nous découvrons leur dimension conjugale : ils peuvent s'aimer l'un l'autre et pas seulement aimer leurs enfants, chacun en son nom propre ou en collaboration couplée. Longs nous serons à accepter la situation triangulaire, et, ce couple, nous tentons d'abord de le casser puisque obstacle il paraît... Surgissent les pulsions incestueuses qui nous poussent à construire un autre couple, fille-père, mère-fils : monarques absolus, nous n'hésitons guère à proposer la mort du parent gêneur, celui du même sexe, et cela avec combien de péripéties, d'angoisse, de culpabilité et de naïve jactance ; chacun qui porte en lui refoulées les scènes et saynètes de cet acte fondamental a pu l'observer directement, à moins de cécité psychique, chez ses propres enfants ou chez ceux des autres, ou encore dans ces tranches de vie que nous offrent romanciers et cinéastes. A tous ces assauts de l'Éros et du Thanatos, c'est le non des parents qui s'oppose, nous enrageant souvent parce qu'il nous dépossède de ce pouvoir imaginaire de maîtrise totale sur autrui. Peu à peu s'établit, par l'expérience, la conviction que nous ne sommes pas absolus mais seulement relatifs à l'existence parentale, non celui de qui tout procède mais précédé, chacun un parmi d'autres ; nous saisissons qu'il ne s'agit pas de transformer la source en siphon, de patauger dans l'amont et tant la marque ombilicale que la parole prohibant l'inceste nous signifient qu'est vain le rêve de recoïncider avec l'origine. Il y a à s'élancer vers l'aval, et dans une démarche d'oralité nous accueillerons divers affluents que l'acquis anal nous autorisera à discriminer et critiquer.

Le parent du même sexe dont nous percevons que lui aussi est précédé, et donc relatif (grand-papa et grand-maman sont pédagogiquement bien plus riches que papy et mamy!), devient support d'identification, une sorte de nourriture psychique; lentement nous allons assimiler, intérioriser ce matériau de la construction de notre identité. C'est ainsi que s'installe dans notre psyché inconsciente cette instance qu'on appelle le Surmoi, et que, bien à tort, on limite parfois trop exclusivement à un seul rôle, celui d'interdicteur, comme s'il était un vilain gendarme cerbéroïde! Il faut aussi en percevoir la dimension protectrice et sécurisante dans la mesure où les images parentales ont su allier tendresse et fermeté. Défendre, terme usuel de la transmission de l'interdit, signifie en effet empêcher, mais aussi protéger de... En nous défendant de tuer et de réaliser l'inceste, le couple parental nous a protégés des dangers des pulsions d'Éros et de Thanatos, nous ouvrant ainsi une première voie d'accès à la civilisation. A l'intérieur de nous-mêmes fonctionne donc cette instance qui, à notre insu, défend les irruptions pulsionnelles désordonnées et anarchiques, nous en protège et nous libère pour utiliser notre énergie dans d'autres combats, tant ceux de l'histoire individuelle que ceux de l'histoire collective. Tout comme jadis les ancêtres, par les interdits fondamentaux, ont quitté la préhistoire, ainsi quittons-nous chacun notre propre préhistoire individuelle, disposés à construire notre histoire, celle d'un héritier convaincu qu'ayant reçu il doit devenir capable d'ajouter au patrimoine, pour transmettre à son tour et en son temps.

II. MÉCANISMES DE DÉFENSE

Avec l'aide du Surmoi, les pulsions seront donc refoulées, mais leur intensité est telle que parfois effleurent et affleurent autant l'angoisse d'une possible transgression des interdits que la crainte des pulsions d'autrui. Pour instaurer une économie libidinale assurant un minimum de plaisir, le Moi va inconsciemment investir cette énergie refoulée dans des conduites dont la finalité est d'assurer encore une fois protection contre l'angoisse... Ces conduites-là, élaborées depuis la sortie des grottes, Freud les a désignées : « mécanismes de défense du Moi ». Bien avant lui, des moralistes tels ceux du XVIIe siècle et encore avant eux bien d'autres sages — parmi lesquels quelques Pères, tant du Désert que de l'Église et de ces hommes et femmes que l'on nomme mystiques — se sont essayés à les analyser pour se conduire et nous conduire vers davantage de lucidité par un approfondissement de l'universelle précarité et de la joie du sens à vivre. De ces défenses multiples, certaines participent plus particulièrement à la sédation de l'angoisse de la culpabilité consécutive à la représentation d'une possible réalisation des pulsions de Thanatos du fait d'une transgression de l'interdit.

La défense appelée *projection* consiste en ce que, dans l'impossibilité de reconnaître comme sienne la violence refoulée et angoissé au pressentiment de la tempête et du carnage qu'entraînerait son explosion, le sujet va, inconsciemment, sans responsabilité personnelle, la projeter sur l'extérieur : nature, personne ou objet ; il vivra ainsi une autre angoisse mais moins onéreuse, celle d'être agressé par ce sur quoi il a, sans le savoir, projeté sa propre pulsion. Rapidement disons que l'économie libidinale de certains d'entre nous fonctionne dans ce paradoxe qu'il serait préférable de se croire persécuté et d'en souffrir plutôt que de se reconnaître persécuteur potentiel... Certains ont ainsi plus de plaisir, moins d'angoisse à s'éprouver martyrs que de s'avouer qu'ils pourraient un jour devenir bourreaux !

Tous et chacun à diverses occasions nous actualisons cette capacité à projeter la pulsion, mais chez certains, l'usage intense et quasi constant de cette défense amène au délire de persécution dit encore paranoïaque. Il faut savoir lire la violence sous-jacente au phénomène de projection, la souffrance de celui qui la vit, et qui est réelle bien que son fondement soit imaginaire et inaccessible à sa conscience par les moyens du discours rationnel. Il faut savoir aussi qu'inopinément — et souvent l'alcool est en cause — le mécanisme peut s'enrayer et se détraquer : le Moi est alors débordé, et la violence de la pulsion entraîne l'un ou l'autre de ces drames que la presse quotidienne nous relate, hélas ! bien trop souvent.

Une autre modalité de la projection : me sentant détruit par l'autre et faute de construction solide ne le supportant pas, je détruis à l'extérieur ; enfant nous l'avons tous vécu, lorsque nous agressions la table où nous nous étions cognés au lieu de nous dire calmement qu'à la prochaine occasion nous nous garderions de frôler cet angle dangereux. Les conduites de vengeance directes ou déplacées sur un objet substitutif garderont toujours un goût de sauvage et d'archaïque... Victime d'une tempête sur les Dardanelles, qui s'appelaient alors l'Hellespont, Xerxès perdit une bataille ; Hérodote rapporte qu'il ordonna à ses esclaves de fouetter la mer et de la marquer au fer rouge pendant qu'il l'invectivait tout comme si elle était une personne capable d'éprouver et de s'amender. Peut-être la violence ainsi imposée à son désir par les éléments déchaînés rencontrait-elle celle qui gisait habituellement refoulée au fond de lui-même ? Stratège par ailleurs génial, il projetait ainsi sa pulsion de destruction dans une conduite vengeresse d'autant plus pitoyable qu'elle s'inscrivait dans un registre de régression animiste.

Un autre type de défense contre cette angoisse liée à la violence de Thanatos refoulée est celle qu'on nomme *formation réactionnelle* ou retournement en contraire. La langue française qui ne manque pas de pittoresque parlera d'« assauts » de politesse, un peu comme si ceux qui en ont consacré l'usage avaient saisi le sens de ces manifestations que le destinataire assimile à un siège. Il arrive donc parfois que, pour apaiser l'angoisse liée à la présence de la pulsion refoulée, l'inconscient pousse à poser un acte totalement contraire à celui qui aurait été l'expression du pulsionnel, le direct... Là où s'il n'y avait pas eu de Surmoi j'aurais mordu et griffé, je me satisfais — dans une absence de plaisir typique de cette défense — à caresser et embrasser, ignorant superbement que mon partenaire en étouffe... Pour d'autres, la terreur du média agressif le plus archaïque — la morsure — est telle qu'ils en viendront, sans pouvoir s'en formuler la raison, à refuser les aliments solides... En réaction aux possibles violences anales, à la terreur de l'Ajax lové au fond de nous et qui se déployant nettoierait tout sur son passage, on s'abîmera à décaper et déterger, sans mesure, incapable de discriminer entre le propre et le sale, l'utile et l'inutile... Ici aussi, il y a possibilité de rupture de la défense, le retour du refoulé brise les rites protecteurs collectifs ou individuels, et cela n'est jamais sans gâchis. Par Lorenzo, Shakespeare nous prévenait de nous défier d'un homme qui n'a pas de musique dans l'âme car traître il est... C'est un peu ce que nous devenons sans l'avoir cherché ni voulu lorsque nous fonctionnons trop sur ces défenses-là parce qu'on a oublié de nous apprendre à domestiquer nos affects.

La pulsion d'hostilité peut encore se retourner contre l'individu lui-même qui prendra alors plaisir à se détruire, à se faire ou laisser détruire par autrui, ou à s'installer dans de subtiles ou néfastes collusions avec le souffrant ; c'est là le *masochisme*, une des grandes mésaventures de l'Éros et du Thanatos ; avec beaucoup de génie et un plaisir frôlant le sadisme, Buñuel s'est employé à nous rendre présente cette bien grande énigme dont les ravages sont tellement connus chez les chrétiens et ailleurs qu'il serait indiscret de s'y étendre ici.

Certains, méconnaissant la violence dont ils sont porteurs, se laissent duper par leur inconscient dans la conviction qu'elle n'existe pas en tant que telle. Prisonniers de ce *mécanisme de négation*, ils vont et viennent, affirmant et prêchant *urbi et orbi* cette dangereuse notion que la violence ne serait qu'une des multiples figures de l'amour... La réconciliation est alors présentée comme la simple fleur d'un bourgeon qu'il suffirait d'un tout petit peu jardiner, comme en flânant, chaque week-end ; le pardon demandé ou accordé, comme un rite mineur qui n'engagerait pas nos profondeurs...

Agresseurs craignant d'être en retour violentés, nous nierons notre part à la transgression dans des rites de disculpation gestués à Babylone et dans l'Inde antique sur un animal ou sur une pirogue, focalisés sur un bouc par le peuple d'Israël... et tous et chacun depuis notre stade anal savons donner à la parole une fonction disculpatrice.

Il y a bien d'autres ressources face à la crispation de la violence refoulée, entre autres celle de *fantasmer*, soit de se monter les scénarios d'un petit cinéma à usage interne : nous assistons ainsi à nos propres films où défilent des images, masochistes lorsque nous tenons le rôle victimal, sadiques lorsque c'est nous l'agresseur. On est encore sans réponse à la question de savoir si cette activité fantasmatique ou encore la participation contemplative aux fantasmes d'autrui qui les projette dans une œuvre romanesque, plastique ou cinématographique seraient sources d'apaisement ou au contraire incitatrices à d'ultérieurs débordements. Et tous, universellement, la nuit, nous rêvons ! Bien avant que Freud nous décèle à l'aube du XXᵉ siècle qu'est là, dans le rêve, la voie royale de l'accès à l'inconscient, Platon, se penchant sur les contenus de l'*activité onirique*, y gagnait la certitude que nous habite une violence primitive et fondamentale : « Il y a dans chacun de nous une espèce de désirs terribles, sauvages, sans frein, qu'on trouve même dans le petit nombre de gens qui paraissent être tout à fait réglés, et c'est ce que les songes mettent en évidence. »

III. LA SUBLIMATION COMME RÉALISATION DE L'HUMANISATION ET ACCÈS A LA CONVERSION

Mais l'énergie pulsionnelle peut aller vers une autre destinée, celle de la sublimation dont Freud disait qu'elle était la plus belle aventure qui puisse arriver à l'instinct, et que Daniel Lagache — tenant à la différencier des autres conduites défensives, chacune à sa manière plus ou moins névrotisante —, nommait mécanisme de dégagement. Cette plus belle aventure qui puisse arriver à l'instinct, Freud estimait que n'y accédait qu'un petit nombre d'individus ; considérons qu'il nous laisse le droit à la conviction qu'une éducation ouverte, axée sur les valeurs et articulée sur la connaissance réaliste de ce vase d'argile auquel on nous a comparés permettrait d'accroître ce nombre. Le sage, le citoyen, les dames de qualité citées dans les actes des Apôtres, le chevalier, l'honnête homme, le généreux (le chrétien aussi !) sont sans le savoir des sublimants... Et avec eux tous ceux qui trouvent et éprouvent plaisir à faire bien les choses bonnes, signant ainsi, comme l'affirmait Aristote, qu'ils sont des hommes bons. Sous l'influence des images parentales qui les ont introduits dans l'ordre du symbolique, grâce aux identifications solides et multiples et très probablement aussi d'une donnée congénitale, des hommes et des femmes ayant intégré les interdits fondateurs de la civilisation ont la chance et le plaisir d'investir leur énergie pulsionnelle dans la réalisation de cet au-delà du nécessaire immédiat et qui lui offre saveur et sens, soit les valeurs que depuis Platon on spécifie dans l'un ou l'autre de leur apport humanisant, le Vrai, le Bien, le Beau.

Au terme de leur adolescence, certains ont consenti à la condition humaine née, sexuée, mortelle ; alors s'est gérée par la médiation du modèle une authentique *metanoia*, une conversion psychologique amorcée déjà en période de latence : du simple fait de vivre ils sont passés à la conscience d'exister ; ayant conscience d'exister et donc aussi de pouvoir exister davantage et de pouvoir exister moins, de pouvoir faire exister davantage et de pouvoir faire exister moins, ils sont devenus responsables. La sublimation entraînant la sédation, et bien mieux, le dépassement de l'angoisse névrotique, nous rend disponibles et accueillants à l'angoisse métaphysique ; le désir n'étant plus écrasé par la loi mais au contraire vivifié par elle, nous nous ouvrons à la question du sens de la vie et de notre vie, alors que les autres mécanismes de défense nous incarcéraient dans une parcimonieuse économie du plaisir... L'énergie pulsionnelle de Thanatos, la passion de détruire devient alors force au service volontaire de la lutte contre l'ignorance pour l'acquisition du savoir ; c'est elle qui soutiendra le combat contre l'injustice pour la promotion de la solidarité, et qui nous armera pour faire en sorte qu'harmonie et beauté qui contribuent à sauver le monde dominent le vulgaire et le trivial. Une mutation s'opère : la violence, la dureté et la rugosité pulsionnelles s'apaisent et se polissent ; la force issue de la sublimation de Thanatos, la tendresse issue de celle d'Éros s'allient pour filer, tramer et tisser la douceur avec laquelle se façonnera un nouveau mode d'être au monde qui n'est ni fade ni édulcoré car constamment pimenté de l'humour qui l'accompagne.

Le temps de la vie n'est plus celui de la brutale et fracassante instantanéité pulsionnelle, ni celui que nous laisserions clandestinement corroder, éroder et gaspiller par les défenses névrotisantes. Le temps de la vie devient durée de création et d'accomplissement.

Et cela change nos modes relationnels : autrui n'est plus l'objet placé là pour subir gratuitement l'assaut de notre brutalité d'Éros ou de Thanatos ; ni celui que nous meurtrissons parce qu'enragés d'être par lui confrontés à cette incomplétude fondamentale ressentie comme échec et insulte à notre désir de suffisance et de toute-puissance. De solitaires nous devenons solidaires car autrui est maintenant pour nous une personne *(personare)* avec qui communiquer et dialoguer. Nous nous accueillerons lucidement car de par l'acquis de la sublimation le constat de nos insuffisances mutuelles nous libère de la prison narcissique où l'on ne pouvait que fondre, confondre, trépigner, piétiner et mourir. Nous pourrons nous rendre ensemble sur le terrain d'une activité créatrice et pacifiante pour y construire davantage d'existence. S'il le faut, sans culpabilité mais peut-être avec regret, nous saurons nous séparer si divergent trop pour l'accomplissement du Sens nos tempéraments et nos moyens ; on sait qu'il est des louanges de la cohésion du couple, de la famille ou de la communauté d'où filtrent des harmoniques de fusionnel, de narcissique et de formation réactionnelle dont on sent bien qu'elles endiguent à grand-peine et à quel prix des violences d'autant plus dangereuses que refoulées.

Cette conversion du sauvage au civilisé, ce passage du régime de vie régi par le principe de plaisir à celui régi par le principe de réalité de l'imaginaire au symbolique, cette conquête de la douceur sur la violence primitive, c'est avec jouissance qu'on perçoit que la Bible nous en enseignait la possibilité, et cela sans négliger aucune des étapes de ce parcours que peut-être un peu naïvement la psychologie contemporaine s'est crue la première à déceler et analyser.

Est relatée cette première rencontre d'homme à homme qui se clôt par un meurtre fratricide. La victime ne peut plus rien dire, mais Caïn l'agresseur affirme que désormais sur la Terre il sera étranger, et que quiconque le rencontrera le tuera... Comme si nous étions à tout jamais rivés dans l'enchaînement des fatalités. Le temps passe et défilent les paysages des exodes pérégrinants, les dons de la Loi, les visages singuliers de chaque prophète, la certitude s'acquiert qu'en nous poussent ensemble le bon grain et l'ivraie, dont on occulte gentiment qu'elle s'appelle aussi zizanie... En Matthieu 25, c'est la proclamation de la possible mutation : « J'étais étranger, tu m'as accueilli. » Disloquée, la victime Abel ne pouvait rien répliquer, ici c'est le bénéficiaire de l'accueil qui, consolidé parce que consolé de sa solitude, témoigne lui-même à son bienfaiteur qu'est possible la vie en dialogue de réciprocité : l'altérité ne s'aliène plus dans le fusionnel puisque l'hostilité s'est librement convertie en hospitalité.

Chapitre IV

LES DÉCHIRURES
DU TISSU POLITIQUE
par Étienne PERROT*

Sur le plan social, la réconciliation évoque une société « transparente » et harmonieuse. Une telle société va au-delà de la bonne entente entre voisins. Le terme « harmonie sociale » résonne comme « harmonie municipale » : il évoque non seulement des relations agréables à entendre, mais plus encore un groupe organisé, coordonné. La société s'impose non pas comme le tissu indéfini des relations de proximité, mais comme l'ensemble, reconnu comme un tout, des multiples groupes sociaux qui sont autant de corps dont chacun garde sa consistance propre et ses défenses externes. La société se présente à l'analyse comme l'articulation conflictuelle de groupes aux vocations diverses : entreprises industrielles et commerciales, professions organisées, syndicats, États, clubs de pensée, associations culturelles, Églises, mouvements d'éducation, familles, écoles, groupes de quartier, etc.

---

* S.J., économiste, professeur à l'école supérieure d'agriculture de Purpan.

La dimension politique de tout groupe social

Tous ces groupes n'ont pas une vocation « politique » en ce sens qu'ils ne cherchent pas tous à diriger l'État. Certains même se refusent à devenir des groupes de pression, et beaucoup n'aspirent qu'à une tranquille autonomie. Cependant tous, y compris les groupes qui se veulent informels, sont affrontés au problème politique.

Du point de vue politique, tout groupe social affronte la contradiction suivante : l'intérêt général du groupe ne s'identifie jamais à la somme des intérêts particuliers de chacun des membres. L'intérêt général, c'est l'intérêt du groupe en tant qu'il forme un corps, une unité. Les organes dits « représentatifs » expriment l'intérêt général. L'entreprise industrielle doit conquérir des marchés, l'État doit maintenir son autorité et sauvegarder son territoire, l'association doit nourrir un minimum d'infrastructure, etc. Mais s'il est de l'intérêt de tous que le groupe soit fort et respecté, chacun des membres a, de son côté, un intérêt particulier à sacrifier au groupe le minimum et à en tirer le maximum d'avantages personnels. Certes, quelques membres du groupe pourront profiter mieux que d'autres de la vie de l'ensemble, certains dirigeants pourront même aller jusqu'à confondre l'intérêt général avec leur intérêt propre, tandis que d'autres en tireront un moindre profit.

Pour vénérable qu'elle soit, la comparaison du groupe social et du corps humain est insuffisante. Comme le corps humain, le corps social est davantage que la somme des membres qui le composent. Mais l'unité du corps humain semble s'imposer du fait des lois de la nature biologique. Au contraire, *l'unité du groupe social est une perpétuelle conquête politique.* Le corps social doit en permanence reconstruire son unité en surmontant perpétuellement ses contradictions internes. Même les groupes « informels » ne survivent que sous la loi minimale de quelques habitudes, parfois même de rites, autant de contraintes qui s'imposent aux participants.

La violence politique

Difficile est la mesure de la violence des contraintes politiques. Faut-il d'ailleurs parler de violence dans les sociétés dont il est facile de sortir ? Inversement, faut-il réserver le qualificatif « violent » aux seuls groupes sociaux qui suscitent la révolte ou la protestation de leurs membres ? La tentative nous paraît vaine de classer les systèmes politiques selon leur degré de violence. Plus utile nous semble la présentation des principales armes de toute violence politique. Pour obtenir plus de clarté, nous concentrerons notre attention sur l'État.

Comme Janus, la violence politique a deux faces ; tantôt elle s'impose par la force brutale, tantôt elle se cache sous les traits charmants d'un consensus idéologique subtilement imposé. Dans les pays occidentaux d'aujourd'hui, ces deux outils de la contrainte politique se conjuguent dans un troisième qui joue souvent le premier rôle, la maîtrise des rapports d'échange et le contrôle de l'économie.

Aucun de ces outils ne construit une société réconciliée. D'un côté, la réconciliation promise sombre dans le silence d'une politique de la violence ; de l'autre côté, la crise économique impose silence aux maîtres de la parole et de la décision publique.

Reprenons ces deux points.

I. LA POLITIQUE DE LA VIOLENCE

En rapprochant politique et parole, Aristote a dressé le fond de tableau de la violence politique. La parole publique forge l'État. En effet, par la parole les citoyens prennent conscience de leur commune appartenance. La parole donne un sens collectif à l'activité individuelle de chaque citoyen. La violence brise cette parole, et le silence témoigne alors de l'*in*-compréhension, c'est-à-dire de la division. La décision unilatérale, celle qui violente le partenaire, est celle que ne lie aucune parole.

Le silence préside aux trois formes de la violence politique : la répression sans phrase, l'intériorisation de la violence et le contrôle économique.

La répression sans phrase

Les dictatures militaires d'aujourd'hui incarnent ces régimes politiques où la parole est confisquée par le commandement. Au nom de la sécurité nationale, les intérêts particuliers sont sacrifiés à l'intérêt de l'État. Il en découle une sorte de régression vers les formes de société sans parole. On pense aux sociétés de fourmis ou d'abeilles, dont l'organisation évoque les ateliers industriels paramilitaires du siècle dernier ; on voit surgir également l'image de la « horde primitive » où le mâle dominateur monopolise à la fois la jouissance et le pouvoir. Dans le tableau s'agitent encore les babouins habitant les savanes. Les babouins sont organisés sur la base de la dictature du plus fort.

La « solitude du pouvoir » témoigne à sa façon du silence de la violence politique. On parlera du bon plaisir du prince ou de la raison d'État ; il s'agira toujours de la transcendance de l'État qui, dans les régimes autocratiques, se manifeste sans fard. La brutalité de la répression, faite au nom de la collectivité, rappelle que les volontés individuelles ne font pas nombre avec la volonté générale, même lorsque cette volonté générale n'exprime qu'un intérêt particulier. La répression brutale rappelle également un principe politique fondamental selon lequel la souveraineté nationale pose en même temps et d'une façon indissociable le fondement du droit et le monopole légal de la violence. Que ce soit par la victoire des armes ou par le triomphe de la révolution, *la violence est la base de toute société politique*. Deux conséquences doivent en être tirées : l'une concerne les droits de l'homme, l'autre la répression comme moyen de gouvernement.

Les droits de l'homme sont une exigence morale et non pas un droit. L'autorité qui fonde les droits de l'homme ne saurait en effet dépendre de la raison d'État ni d'une autre rationalité collective (même si la stratégie d'Amnesty International et d'autres associations de défense des droits de l'homme s'appuie sur le droit écrit des États mis en cause). Cela est tellement vrai que l'analyse des circonstances historiques et des situations sociales particulières fait apparaître comme « rationnelles » des institutions parfaitement injustes qui manient la contrainte par corps, l'esclavage, l'exploitation du travailleur ou le sacrifice du soldat ou des populations civiles. La justice sociale, fondement des droits de l'homme, relève, elle aussi, de l'exigence morale et non du droit.

La répression comme moyen de gouvernement manifeste l'origine violente de toute société. Mais, en durant au-delà de la période originelle, la violence déchire le tissu politique. Est doublement fausse l'idée selon laquelle la violence ne serait que la politique prolongée par d'autres moyens. (Au début du siècle dernier, le général prussien von Clausewitz parlait de la guerre en ces termes-là.) Car la violence impose silence ; elle rompt la relation d'homme à homme constitutive du domaine politique. De plus, par sa technicité, la logique des guerres et des violences publiques contemporaines échappe de plus en plus au contrôle des gouvernements et des États.

Finalement, violence et politique entretiennent des

relations contradictoires. D'une part la violence anéantit le tissu politique, d'autre part la violence crée les conditions de toute communauté politique. Cette contradiction fondamentale du politique ne peut se vivre que par l'intériorisation de la violence.

La violence intériorisée

Pour que survive une communauté politique, la violence fondatrice doit se refermer dans le silence des temps primitifs. La société politique ne peut durer que dans l'oubli de la violence qui la fonde. Pour réaliser ce tour de force, les sociétés humaines ont accumulé les moyens qui tous procèdent par exclusion. La partie exclue entraîne avec elle le souvenir de la violence sous-jacente qui demeure dans les institutions sinon dans les brutalités. La révolution politique déloge l'autocrate, la révolution sociale change les bases du régime politique, les exilés volontaires abandonnent un système oppressif... Tous ces bouleversements trouvent leur justification dans la prophétie du grand prêtre : « Il vaut mieux qu'un seul homme meure, plutôt que tout le peuple. » Révolutions, excommunications, tyrannicides... visent à éliminer la source des divisions. Pour sauver le tout, on sacrifie la partie dangereuse. L'idée que l'on obtiendra ainsi, par la violence politique, une société sans violence politique est une idée sans aucun doute erronée. Toutes les révolutions sont trahies, les hommes forts imposent bientôt leur domination, et les machines changent simplement de maître. Mais, en dépit de l'expérience, cette idée fausse renaît sans cesse sous forme d'utopie fraternelle ou de société sans État. Car l'illusion d'un monde sans violence politique est justement ce dont la société politique a besoin pour fonctionner. Pour vivre, la société doit oublier la dimension autoritaire inhérente à tout groupe social ; elle doit faire semblant d'ignorer la contradiction politique qui fait que l'intérêt du groupe est autre chose que la somme parfaite des intérêts particuliers de chacun des membres ; elle doit laisser dans l'ombre la violence de la transcendance collective. En décrétant que violence et membre exclu ont partie liée, la société fait abstraction de la violence politique ; elle en réalise la suppression symbolique. La société ouvre ainsi la porte à une parole possible, c'est-à-dire à l'univers politique.

Cette abstraction inscrite dans le tissu social trouve son archétype dans la condamnation de ceux qui, par leur comportement ou leur état, menacent le consensus. Selon les sociétés, l'originalité, les mœurs « particulières », la maladie, voire une accumulation intempestive de richesses, cristallisent le sentir commun contre l'élément étrange. L'étranger d'aujourd'hui tient la main du sorcier de jadis et du bouc émissaire de toujours. Son élimination soude la communauté. Le sacrifice expiatoire retrouve ici l'efficacité de la faute reconnue. A la différence de l'erreur, la faute est relative à la cohérence de la communauté. Reconnaître la faute, c'est affirmer le primat de l'unité collective sur la particularité déviante.

A défaut d'ennemi déclaré, ce qui est socialement dangereux pour l'unité du groupe sera trouvé à l'intérieur de chacun des membres. Celui qui entre dans le groupe devra se dépouiller symboliquement (c'est-à-dire d'une façon significative pour les seuls membres du groupe) ; il devra rejeter ce qui, en lui, pourrait nuire au consensus et à la cohérence de l'ensemble. Les rites d'intégration, les parcours d'initiation, les bizutages, les idéologies et jusqu'aux attitudes « naturelles » des gens à l'aise dans leur milieu, toute cette création d'harmonie sociale repose sur la destruction symbolique des valeurs étrangères au groupe. Le nouvel initié s'intègre en transformant la violence sociale en lutte intérieure. Dans les sociétés politiques modernes, ces valeurs intériorisées sont relatives à l'économie.

Le nerf de la guerre

La valeur fondamentale des sociétés occidentales est la valeur d'échange. Le prix des choses manifeste cette « loi » de la valeur qui impose à chaque bien particulier et à chaque effort personnel sa forme sociale. Le prix réalise l'abstraction qui sacrifie la particularité de chacun pour l'intégrer dans le système d'échange.

Comme l'échange de paroles, l'échange de produits relève du domaine politique. Les instances gouvernementales gèrent l'économie politique à l'aide de trois instruments qui sont des attributs de la souveraineté nationale : le droit de réglementer la production et les échanges, celui de répartir la richesse nationale par le moyen des impôts et des allocations publiques, enfin le monopole de la création monétaire.

Les deux premiers droits ne cachent pas leur caractère autoritaire. Les réglementations gênent certains individus pour en favoriser d'autres, et ce que reçoivent les uns doit être pris à d'autres. Le monopole de création monétaire mérite une plus grande attention dans la mesure où un consensus presque parfait occulte son caractère violent.

A première vue, la monnaie est un instrument économiquement neutre ; il est tout simplement pratique pour les échanges. La monnaie permet de dissocier, selon la volonté des protagonistes, l'acte de l'achat et celui de la vente. A défaut de la monnaie, le troc, semble-t-il, et même le crédit demeureraient. La fable *La Cigale et la Fourmi* pourrait le laisser croire. L'illusion de la neutralité monétaire s'ancre dans l'idée selon laquelle la monnaie ne serait qu'une marchandise dont la caractéristique particulière consisterait à conserver, sans la dégrader, une grande valeur d'échange sous un petit volume de matière précieuse. Cette caractéristique la rendrait particulièrement apte à servir de médium dans les échanges. Même la monnaie dite « fiduciaire » semble se rattacher à quelque propriété matérielle de la richesse nationale. Les billets de banque ne furent-ils pas, à l'origine, de simples certificats de dépôt d'or avant d'être garantis aujourd'hui par le patrimoine, et en particulier par les créances sur l'économie, détenus par la banque d'émission ? En fait, la neutralité économique de la monnaie n'est qu'une illusion. Car la monnaie déforme les espaces et les temps économiques ; elle forge de nouvelles conditions de production et d'échange qui s'imposent à la communauté nationale. Pour s'en tenir aux deux exemples historiques les plus massifs rappelons la dégradation économique espagnole tout au long du XVIe siècle sous la pression paradoxale de l'afflux de métaux précieux, fruits du pillage des Indes occidentales. On se souvient aussi des effets délétères de la politique monétaire de Philippe le Bel qui, pour payer ses mercenaires, trompait ses sujets sur la valeur des pièces de monnaie frappées à son effigie.

Serait-elle produite comme une marchandise parmi les autres marchandises, la monnaie n'en demeurerait pas moins une *création politique* de l'autorité publique. Autorité doit être pris ici dans son plein sens qui unit le pouvoir politiquement reconnu et la confiance, à l'image de « l'homme qui parle avec autorité ».

Cette dimension politique de la monnaie ajoute une couleur à la puissance de coercition et au pouvoir réglementaire du souverain. A travers les conditions matérielles, le pouvoir politique semble mieux contrôler la vie sociale. Mais au moment où le souverain croit tenir en sa main l'atout maître, la cohérence économique et sociale se disloque. Balbutie alors celui qui avait monopolisé la parole économique et politique. C'est la crise.

II. L'ÉCONOMIE SOUFFRE VIOLENCE

Le mot *économie* désigne deux univers souvent bien éloignés l'un de l'autre. L'économie, c'est d'abord une pratique, individuelle ou collective, touchant la production et la circulation des richesses ; mais c'est aussi le discours des économistes. On pratique l'économie en organisant son temps, en arbitrant le jeu de ses consommations et de ses investissements, en gérant son budget. La théorie qui tente de tisser entre ces gestes des toiles aux dessins quantifiés est aussi l'économie que la tradition universitaire découpe en multiples régions : d'une part les grandes règles (macro-économie, micro-économie, méso-économie), d'autre part les grands rôles (économie politique, économie internationale, économie rurale, économie industrielle, économie financière...)

Pratique ou théorique, l'économie souffre violence du fait de la crise, cet être insaisissable. Violence passagère ? Telle est la question à laquelle nous allons répondre négativement. Le chômeur rendu inutile pour la production, le consommateur amputé par la hausse des prix, le théoricien chahuté dans ses représentations inadéquates, chacun rêve de se concilier l'économie, voire d'en maîtriser le débordement. Cette réconciliation de l'économie avec la vie sociale, nous la pensons utopique. Mais cette utopie, animée par une certaine conception de la justice sociale, peut devenir régulatrice d'un monde économique en perpétuelle tension de réconciliation.

Nous soulignerons les trois étapes de cette démarche en développant les points suivants :

1. Sur le terrain pratique, la violence de la crise dérobe à certains groupes sociaux leur place et leur pouvoir économique.

2. Pour le théoricien la crise prend le voile violent de l'irrationnel et du désordre.

3. L'adéquation de la pratique à la théorie économique est un idéal jamais atteint. Seule la conscience de la distance entre théorie et pratique permet un jeu de pouvoirs respectueux de la justice sociale.

Le déplacement des pouvoirs économiques

L'effet le mieux ressenti de la violence en économie est le déplacement des pouvoirs. Certains pouvoirs économiques s'effondrent tandis que d'autres naissent, détournant les flux monétaires et renversant les stocks de richesses. Repérons ces déplacements sur la carte des espaces économiques.

• La production, condition de toute richesse, repose sur un premier espace aux dimensions culturelles, politiques et sociales ; c'est l'espace technologique défini par l'ensemble des méthodes de travail. Nous ne savons plus rouir le lin ni carder la laine, mais nous maîtrisons de mieux en mieux les arts productifs au point que l'accroissement de la productivité va de pair avec une diminution de l'emploi dans les secteurs concernés. En France, l'agriculture perd douloureusement plusieurs dizaines de milliers de travailleurs chaque année au moment même où certains biens sont produits en surabondance. Plus de la moitié de la population active française travaille désormais dans le secteur dit « tertiaire », celui des administrations, des services, du transport, du commerce, des assurances, etc. Ce déplacement du travail d'un secteur à l'autre égratigne bien des positions acquises et en conforte d'autres. Depuis quelques années le nombre d'emplois nouveaux dans le tertiaire ne compense guère la perte dans l'industrie et l'agriculture. Phénomène violent dans la mesure où il échappe à la volonté générale. Le drame est qu'une création massive d'emplois tertiaires ne peut sans mal rééquilibrer le marché de l'emploi. On risque une défaillance des deux autres secteurs ou une baisse générale du niveau de vie. Car l'accroissement de la productivité n'est pas maîtrisée. Dans ces conditions, la consommation supplémentaire induite par les dépenses du travail tertiaire improductif pèse sur les travailleurs productifs. Par ce biais de la productivité non maîtrisée, l'espace technologique s'articule durement sur un deuxième espace économique, l'espace dit de « solvabilité » ou espace des échanges.

• Avec les technologies de pointe, le centre des échanges mondiaux se déplace nettement des bords de l'Atlantique (Europe de l'Ouest, côte Est des USA) vers les rives du Pacifique (Californie, Japon, Corée). Les technologies plus anciennes (sidérurgie, tissage) restent la pâture des pays du Sud, tandis que les pays rentiers, riches de minerais ou d'énergie fossile, s'endettent pour acquérir les moyens d'extraire et de vendre les richesses de leur sous-sol.

Ces déplacements charrient derrière eux des populations entières de travailleurs déqualifiés, d'artisans ruinés par la concurrence de produits industriels, de paysans concurrencés par les importations et de chômeurs. En même temps, ces transferts de production d'une région à l'autre propulsent vers des sinécures ceux qui, par leur situation géopolitique, commerciale ou culturelle, deviennent indispensables pour mettre en œuvre les nouveaux modes de production.

• Le troisième espace économique, l'espace des décisions, réagit aux bouleversements des deux premiers.

Les investissements échappent de plus en plus aux gestionnaires pour se concentrer dans les mains des financiers et des banquiers. Les propriétaires eux-mêmes perdent parfois le pouvoir des « patrons » de jadis, tandis que les forces syndicales cherchent l'adaptation aux nouveaux déracinements techniques, aux déplacements des centres de décision et sollicitent de plus en plus l'arbitrage politique où se concentre l'autorité monétaire, budgétaire et réglementaire.

Ces transformations d'emploi, de niveau de vie et de responsabilité se vivent le plus souvent comme des pressions incoercibles. On accuse dans le noir le progrès technique, le marché, l'environnement international ou, tout simplement, la crise. Les meurtris en reconnaissent le caractère violent.

La stupeur des économistes

Les théoriciens n'en finissent pas de se frotter les yeux et de bafouiller. Leur logique se fendille et laisse suinter l'incohérence de la vie économique. Du coup les théoriciens dénoncent l'irrationalité d'un monde qu'ils ne comprennent plus.

Quoi de plus violent pour un économiste que ces phénomènes centraux de la crise : chômage, inflation, rentes de situation et, finalement, gaspillage ? Dans les pays industrialisés plusieurs dizaines de millions de travailleurs, soit plus de un sur dix, cherchent en vain à se faire reconnaître utiles pour la production. A ces chiffres s'ajoutent les chômeurs déguisés en travailleurs inutiles, les retraités involontaires et les jeunes traînant sans goût dans des formations indéfinies. En dehors de ses aspects humains et sociaux, le chômage est un scandale économique par le manque à gagner qu'il suppose. De plus, les indemnités et les frais sociaux du chômage rabotent le revenu disponible des travailleurs bénéficiaires d'un emploi. Ceux-ci voient diminuer la reconnaissance sociale attendue de leur travail.

L'inflation s'exprime tantôt par la hausse des prix, tantôt par les tickets de rationnement et les queues devant les magasins, ou encore par le gonflement des livrets de caisse d'épargne et des encaisses non désirées, ces billets que l'on garde involontairement dans son portefeuille ou sur un compte en banque sans en avoir l'usage. L'inflation fait, elle aussi, violence à la logique économique. C'est d'abord un prélèvement occulte, un impôt sournois qui échappe au contrôle législatif. Mais le caractère aveugle du transfert gêne moins les économistes que les effets délétères de l'inflation sur l'activité productive. Dans l'inflation, la masse des revenus distribués cherche en vain à s'échanger contre des richesses d'égale valeur. Cette vaine recherche détourne des activités productives (pourquoi produire puisque le problème est de dépenser ?) La vie économique s'essouffle alors dans la course aux placements spéculatifs (il convient de conserver au mieux son avoir). Ceci nuance l'idée euphorique du début des années 1960 selon laquelle l'inflation favoriserait la croissance économique en permettant aux emprunteurs de rembourser en monnaie dévalorisée, et en obligeant chacun à se procurer davantage d'argent pour se payer les produits convoités. L'adaptation de la société à la hausse des prix par le moyen plus ou moins explicite de l'indexation a bouleversé cette logique.

Le disfonctionnement du système productif miné par la spéculation trouve son archétype dans les phénomènes de rente. Une rente est un revenu sans contrepartie productive. On connaît la rente foncière qui est un revenu de la propriété ; on parle des rentes de monopole qui drainent vers un fournisseur unique une part importante des ressources du marché ; on dénonce les rentes de situation qui enrichissent sans autre raison que le fait d'être là au bon moment et au meilleur endroit, sans parler des « droits acquis » récemment épinglés. Il faut élargir ces phénomènes de rente aux revenus des travaux improductifs. Le scandale n'est nullement d'ordre social ou politique. Certaines sociétés peuvent légitimement admettre des revenus tirés de la seule propriété ou de services improductifs réputés socialement utiles (défense nationale, prestige collectif, art, culte...). Le scandale est d'ordre économique puisque la consommation personnelle cesse d'être le moteur de l'effort productif. Pour l'économiste, ces rentes sont des gaspillages au même titre que le revenu des danseuses du roi Crésus, celui des mercenaires de Philippe le Bel ou des gardes prétoriennes de nos gouvernements.

L'environnement sociopolitique au banc des accusés

Face à ce désordre, les économistes accusent de violence les éléments étrangers à la logique économique. Selon les traditions, on montre du doigt la nature ou la société.

Durant des siècles, les crises naissaient des caprices violents de la nature : sécheresses, inondations, épidémies rythmaient la grande respiration de la vie sociale. Les taches de Soleil, au siècle dernier, firent le lien entre les événements cosmiques et la logique industrielle. Elles perturberaient la production agricole, entraînant une baisse du revenu des agriculteurs. Ceux-ci deviendraient moins bons clients pour l'industrie qui connaîtrait alors une crise de surproduction... selon le rythme décennal de l'apparition des taches solaires. Aujourd'hui une telle science-fiction laisse place aux théories subtiles où s'affrontent d'une part l'accroissement de la productivité autorisée par les révolutions technologiques successives et d'autre part la décroissance des rendements freinés par l'épuisement des richesses naturelles, la dissipation de l'énergie fossile ou l'amélioration des conditions de travail et de l'hygiène.

Un autre courant de la théorie cherche les causes de la crise dans les blocages sociaux qui gauchissent la logique économique. La concurrence se transforme en loi de la jungle où le plus fort accroît sa puissance. La course à la productivité concentre le pouvoir économique dans les secteurs de pointe et conduit au gaspillage des investissements ou à la déqualification de certains travailleurs. Ces affrontements suscitent l'arbitrage politique et les décisions collectives qui introduisent le biais de la redistribution des richesses dans la logique productiviste. Pour les uns l'appropriation privée des moyens de production, pour les autres les décisions publiques interfèrent dans les lois du marché et violentent la logique du système.

La violence de l'économie

Les économistes, qui ne peuvent pas douter de la rationalité de leur système — leur science est en jeu —, ont tendance à rejeter hors de leur univers cette violence dont souffre leur discipline. Sur le plan pratique, cette attitude se fige dans une technocratie qui transforme un discours totalisant, pur de tout élément étranger, en une politique totalitaire. Seule une certaine conception de la justice sociale inverse la pente violente où la rationalité économique glisse vers la norme sociale.

Vouloir trouver la paix en écartant les forces étrangères à la logique économique nourrirait une autre violence meurtrière de la vie sociale. Nous pouvons le sentir en contemplant l'image de la petite calèche. Cette calèche de rêve se compose de multiples éléments, caisse, roues, timon, siège, capote..., qui ont la particularité remarquable de s'user tous au même rythme et de se retrouver hors d'usage tous au même instant. Une telle calèche comble de joie l'économiste et l'économe car aucun travail inutile n'est venu se gaspiller dans la fabrication. Chaque morceau de la calèche n'est solide qu'autant que nécessaire. Mais, voilà le point central, ce « nécessaire » s'impose naturellement à tous les éléments et, à travers chacun, à tous ceux qui participent à la fabrication. Chaque partie prenante, matérielle ou humaine, n'a valeur que dans sa relation stricte avec toutes les autres. Nous ne sommes pas loin d'une planification d'autant plus inhumaine qu'elle obéit ici non pas à un planificateur responsable, mais à un principe économique abstrait.

Vers la justice sociale

En économie, chacun tente de réaliser pour soi-même, ou pour la collectivité à l'intérêt de laquelle il s'identifie, l'idéal de la petite calèche. Chacun impose à ses biens et à son entourage la place qui lui semble rationnelle, dénonçant le gaspillage des uns, l'incurie des autres, l'illogisme de tous. Mais cet idéal est dangereux car quiconque réussirait à inscrire son ordre économique dans les faits sociaux rencontrerait au bout de cette rue de l'égalité devant l'ordre public la paix peut-être, la justice certainement pas. La justice, en effet, ne consiste pas à faire de la logique sociale le critère premier de l'activité de chacun. Selon cette « justice », la valeur se mesure à l'intérêt général qui est l'intérêt du groupe, étant laissés de côté les situations et les intérêts propres à chaque sous-groupe et à chaque individu. Mais inversement la justice ne saurait se découvrir dans la somme désordonnée des intérêts particuliers. Cette « justice », ignorante qu'elle est d'un corps social qui transcende les situations privées, conduit, sous couvert d'égalité de principe, à la domination des plus forts.

Pour être sociale, la justice doit donc faire droit à la contradiction entre l'intérêt général et la somme des intérêts particuliers. Aucun modèle économique ne peut intégrer dans sa cohérence une telle contradiction. Cela conduit à penser que l'économie au pouvoir fait violence à la société quand l'économie impose sa logique. La crise, cette violence faite à l'économie, apparaît donc, au terme de cette démarche, comme le revers de la violence imposée par l'économie à la vie sociale. Il n'est guère possible de rompre ce cercle de violence. Il convient au contraire de maintenir vivante la tension qu'il fait naître entre les mondes économiques.

Retour au politique

Il ne peut être question d'une logique supérieure qui harmoniserait dans l'abstrait l'intérêt de tous et celui de chacun. Car il s'agit ici de concilier deux univers séparés : le discours économique et la vie sociale. Une telle situation crée une tension de réconciliation sans solution définie. Pour maintenir la dynamique de réconciliation, un discernement permanent est nécessaire à tous les niveaux de la vie sociale. Le principe de ce discernement pourrait s'exprimer ainsi : dans tous les groupes sociaux il faut laisser au niveau subordonné toute la responsabilité qu'il est capable d'assumer. Ne doivent être réservées au niveau supérieur que les seules décisions dont il est prouvé qu'elles ne peuvent pas être prises au niveau subordonné. Ce principe de discernement fonde la justice sociale sur la répartition hiérarchisée des responsabilités, et non pas simplement sur une distribution des produits. Elle fait droit à la structure politique de tout groupe humain ; de plus, elle échappe au trop vague « partage des responsabilités » qui cache tant de démissions et fomente tant d'oligarchies. Enfin, et ce n'est pas son moindre mérite, un tel principe de discernement remet à sa place l'économie dans l'espace social, celui du jeu des pouvoirs et des responsabilités, vrai lieu de la réconciliation dans un perpétuel dépassement d'une violence sociale qui n'a rien de passager puisqu'elle traduit simplement la mutation, c'est-à-dire la vie.

Chapitre V

LA PENSÉE DIALECTIQUE, UNE AUTOSUPPRESSION DE LA VIOLENCE?

par André DARTIGUES*

Le terme « violence » est l'un de ceux qui ont du mal à entrer dans le vocabulaire philosophique. Tel quel, il évoque pour le philosophe une réalité brute et inassimilable car il présente de l'être une face hérissée, repoussante et, pour tout dire, irrationnelle.

Au premier abord, la pensée n'a pas de prise sur un phénomène qui se situe à la limite du pensable, c'est-à-dire du régulier et de l'ordonné. Autant l'harmonie du cosmos et de la cité se coule dans une logique, autant la dysharmonie, le chaos sont une menace pour le *logos* : la violence est l'ailleurs du pensable, le fond confus menaçant d'engloutir les formes dans le néant, ou du moins dans l'informe.

Il y a une coloration de violence dans la conception platonicienne de la matière, qui est précisément la limite inférieure des formes, au-dessous de laquelle ne bouillonne que l'indéterminé, une « masse visible, exempte

---

* Professeur à la faculté de philosophie, Institut catholique de Toulouse.

de tout repos, se mouvant sans mesure et sans ordre[1] », c'est-à-dire le *tout et n'importe quoi* échappant par lui-même au découpage des idées. Ce tout et n'importe quoi bouillonne dans une sorte de volcanisme obscur où il n'est même plus quelque chose, sinon, dira Plotin, le Mal, autre nom de l'impensable. Ce qui n'est plus quelque chose ne peut se définir à partir d'une quelconque détermination, mais seulement par l'absence de détermination, comme l'en deçà du logique, c'est-à-dire l'illogique qui voisine avec le non-être. Mais, étrangement, ce « non quelque chose » est aussi comme la figure diamétralement inversée du *Bien* platonicien ou de l'*Un* plotinien qui sont aussi « au-delà de l'essence », c'est-à-dire de la détermination. Comme pure matière, le Mal et donc la violence reproduisent vers le bas, dans un « excès » d'infériorité, l'impensable qui aspire et épuise la pensée vers le haut, dans un « excès » de supériorité. Penser la violence relèverait donc de la même démesure que de penser l'Un, qui est au-delà de l'être. La violence serait la frange inférieure de l'impénétrable pour l'homme à qui est assignée une région médiane de pensée, celle des déterminations et des formes. Encore en cette région la pensée est-elle attirée par l'impensable d'en haut, auquel tout le pensable tient comme à un point, et tourne-t-elle le dos, si l'on peut dire, à l'impensable d'en bas, contraire du désirable, magma de l'horreur que l'on ne peut que fuir.

1. *Timée*, 30, a.

I. LA DIALECTIQUE
COMME VIOLENCE DE LA PENSÉE

Et cependant le rôle de la pensée est de rôder toujours autour de l'impensable. Après tout, qu'est-ce qui définit l'impensable sinon la pensée ? Elle aura donc la tentation d'aborder l'horrible — comme elle a celle d'aborder l'Absolu — en le raffinant, en lui faisant subir les transformations alchimiques qui le lui rendront tangible et digestible[2].

La pensée est la « pierre philosophale » qui convertit le négatif en être

La raison dialectique sera, pour la pensée, la forme sous laquelle elle rationalise et rend donc pensable ce qui lui avait paru extérieur, irrationnel ou illogique. Elle commet le péché de démesure en mesurant les choses autrement : au lieu de se tenir dans la région médiane des idées, du clair et du distinct, elle investit au contraire les extrêmes, l'horizon impensable du pensable et en fait le centre d'application de la pensée. En effet, dit Hegel, « l'activité de diviser est la force et le travail de l'*entendement*[3] ». Mais cette puissance, « la plus étonnante qui soit », n'en reste pas à des « pensées qui sont

---

2. L'allusion à l'alchimie n'est pas seulement métaphorique: « Le caractère original de la dialectique allemande, écrit Michel Henry, se voit justement dans son origine spécifique, laquelle réside dans l'alchimie médiévale dont les intuitions ou les illuminations, la recherche et le travail atteignent leur point culminant dans le cercle de penseurs et de philosophes groupés autour de Paracelse. En prétendant fabriquer de l'or avec du plomb, l'alchimie implique d'emblée... que le fond du réel n'est pas constitué de choses fixes, mais qu'il est, au contraire, *changement* », cf. M. HENRY, *Marx*, t. I, *Une philosophie de la réalité*, Gallimard, Paris, 1976, p. 139.

3. G.W.F. HEGEL, *Phénoménologie de l'esprit*, trad. J. Hyppolite, t. 1, Aubier, Paris, 1939, p. 29.

elles-mêmes bien connues, qui sont des déterminations solides et fixes » *(id.)*. Elle s'applique au contraire à l'interstice des choses ou des éléments que l'analyse a séparés, interstice qui les isole de l'ensemble, et qui n'est par lui-même *rien*, ou n'est que le rien de la mort : « La mort, si nous voulons nommer ainsi cette irréalité, est la chose la plus redoutable, et tenir fermement ce qui est mort est ce qui exige la plus grande force » *(id.)*. Or, le fond chaotique dans lequel les choses se désarticulent est non seulement l'objet de la pensée, mais il devient la pensée elle-même, c'est-à-dire la puissance invisible d'où toute chose émerge et dans laquelle elle se dissout. Ce que ne voit pas le regard serein et non violent du penseur « platonique », c'est que tout est déjà en proie à l'horrible, que l'horrible, autre côté du réel et du pensable, constitue déjà l'étoffe même du réel et du pensable. Aussi la vie de l'esprit, c'est-à-dire de la pensée, n'est pas « cette vie qui recule d'horreur devant la mort et se préserve pure de la destruction, mais la vie qui porte la mort et se maintient dans la mort même... » L'esprit, ajoute Hegel dans le même célèbre passage, « conquiert sa vérité seulement à condition de se retrouver soi-même dans l'absolu déchirement. L'esprit est cette puissance en n'étant pas semblable au positif qui se détourne du négatif... mais seulement en sachant regarder le négatif en face, et en sachant séjourner près de lui. Ce séjour est le pouvoir magique qui convertit le négatif en être » *(id.)*. Le pouvoir magique appartient à cette pierre philosophale de la pensée qu'est la dialectique : pouvoir de penser les contraires dans l'unité, de retrouver donc la pensée dans l'irrationnel ou dans l'impensable, comme les alchimistes trouvaient l'or dans le plomb.

La contradiction est le rythme du monde

On pourra se demander si la pensée ne réalise pas là

un simple tour de magie car, face au poids des choses, la pensée reste toujours légère et ne subit ses déchirures qu'en « pensée ». Cependant la tentative hégélienne n'est par arbitraire. Elle traduit le scandale de la pensée devant le fait de la violence, scandale qui va donc la conduire à penser elle-même scandaleusement et contradictoirement : penser la violence par la violence de la pensée. Car il faut, dit Hegel, plutôt forger des concepts inconcevables que de renoncer à la pensée.

Cette violence de pensée serait comparable à une force de fusion qui fait tenir ensemble des éléments antithétiques, ou les fait passer l'un dans l'autre, passage que Hegel appelle la *médiation*. Ainsi la vie et la mort sont des termes antithétiques dont l'opposition est violente ; il faut donc une violence égale pour les penser comme une même réalité. On pourrait même ici se poser la question : la violence objet de la pensée, la violence des choses, et la violence pensante, qui pense celle des choses, ne sont-elles pas en fin de compte identiques ? En d'autres termes, la force qui maintient les opposés l'un face à l'autre n'est-elle pas aussi celle qui les unit l'un à l'autre ? Car on remarquera que la pensée dialectique, qui est une pensée par opposition, n'est pas une pensée du disparate. Les éléments disparates sont indifférents les uns aux autres, ils ne se heurtent donc pas violemment. Si les opposés se trouvent dans une situation de déchirement, comme la vie face à la mort, ou l'esclave face au maître, c'est que ce déchirement se rapporte à une unité perdue ou à venir. On peut même dire que le déchirement constitue l'unité, qu'il est, en négatif et douloureusement, le point de contact des opposés. Ils sont l'un et l'autre unis par ce qui les écarte, et écartés par ce qui les unit. La violence de pensée n'est alors que la réfraction logique, dans l'ordre de la raison, d'une violence des choses qui est elle-même déjà raison puisque principe d'unité.

Où l'on voit que, dès qu'il est pensé, le scandale de la violence cesse d'être scandale. Hegel n'est pas le premier à le remarquer. Héraclite disait déjà que « Polemos (la guerre) est père de toute chose », et on peut sans doute retrouver dans le taoïsme chinois cet ordonnancement par contraires de la dysharmonie dans l'harmonie : chaud et froid, jour et nuit, ciel et terre, homme et femme, maître et esclave, etc., s'opposent terme à terme dans la contradiction. Mais la contradiction est aussi le rythme du monde, comme la discontinuité des pulsations, diastole et systole, est le rythme de la vie. Là où est la contradiction, là aussi est l'unité. La pensée dialectique permet d'inverser la lecture de la violence, c'est-à-dire d'en voir le côté unifiant et rationnel là où nous n'y avons d'abord vu que déraison et scandale. Le poison est lui-même remède ou, comme dit Hölderlin, « là où croît le péril croît aussi ce qui sauve ».

La violence historique se supprime elle-même

Cependant nous n'en restons là qu'à une vision générale et statique de l'univers. Il est vrai, dirons-nous, que le « rapport de forces » règne dans la nature et lui donne son équilibre : les planètes gardent leur trajectoire par un jeu contradictoire de forces centripète et centrifuge ; sur terre, les espèces se conservent en s'entre-dévorant de manière réglée. La nature est cruelle, disent les amis de la nature, mais cette cruauté doit être admise tant qu'elle reste naturelle. Mais n'en va-t-il pas autrement quand on en vient à l'homme, et plus exactement à l'homme dans son destin temporel et historique ?

Peut-être plus que d'autres, notre époque est sensible au phénomène humain de la violence, à la *violence de l'homme contre l'homme*. La raison pourrait en être dans la croissance du pouvoir de l'homme sur la nature et sur lui-même. Par ses capacités scientifiques et techniques, l'homme recueille et concentre en effet en lui une telle force qu'il a le sentiment de pouvoir triompher des forces hostiles de la nature, mais en même temps de déchaîner contre lui-même une force plus redoutable que celles dont la nature le menaçait. La vieille formule « l'homme est un loup pour l'homme » prend alors des proportions obsédantes. Celui qui, selon la formule inverse de Spinoza, est un dieu pour lui-même — Spinoza dit que l'homme est un dieu pour l'homme —, et parce qu'il est investi de la puissance du dieu, peut devenir aussi le plus horrible démon. Aussi est-ce désormais dans l'homme que paraît se concentrer le problème de la violence : la question métaphysique du rapport entre la pensée et ses limites, ou la raison et la déraison, devient une question anthropologique, et plus concrètement sociopolitique puisque c'est dans le lien social que se manifeste la violence. Par contrecoup, la question politique et sociale devient la question philosophique par excellence : parce que la puissance ambiguë de l'homme se développe dans le corps social, où l'homme n'est pas seulement individu, mais, comme diront Feuerbach et Marx, « être générique », c'est-à-dire espèce dotée de capacités sans limites, c'est dans le corps social que va se dérouler le combat de géants qui apparaissait d'abord comme un drame cosmique. Sur la scène sociopolitique se reproduit concrètement, comme processus historique, la confrontation de la raison avec ses limites, ou, en termes religieux et mythologiques, la confrontation du Bien et du Mal, ou de la Lumière et des Ténèbres.

Hegel a bien vu ce déplacement du problème de la raison de la nature vers l'Histoire. Tout le monde admet, dit-il, une rationalité de la nature. Mais cette raison, présente dans la nature dont la science découvre « le calme règne des lois », semble absente de l'Histoire, de la scène sociopolitique qui ne nous donne que le spectacle de l'arbitraire et de la folie⁴. Or, ici encore, une pensée dialectique doit trouver, dans la violence sociale, la présence cachée de son contraire, c'est-à-dire de l'harmonie et de la raison. Elle doit découvrir « la rose de la raison dans la croix du présent⁵ ». Ici encore, parce qu'affrontée au scandale de la violence, la pensée deviendra elle-même cynique et violente, c'est-à-dire justificatrice d'une réalité qu'elle accepte de « regarder en face ». Il y a dans ce cynisme une pointe de provocation contre une mesure académique de la pensée qui ne rend pas compte de la démesure des actes et des événements. Aussi une pensée « sérieuse » sera-t-elle à la mesure, c'est-à-dire à la « démesure » de l'Histoire elle-même, qui progresse à travers les chutes d'empires, les révolutions et les guerres. Ce que retranscrit l'encre inoffensive d'une philosophie dialectique a été d'abord écrit en lettres de sang dans une histoire « dont les périodes de bonheur sont les pages blanches⁶ ». On pourrait donc parler d'une violence réaliste de la pensée dialectique. Cette violence ne relève pas d'un goût particulier pour la violence, mais du sentiment que, se déployant désormais dans l'Histoire, c'est-à-dire dans le devenir concret de

---

4. « A propos de la nature, dit Hegel, on s'accorde que la philosophie doit la connaître comme elle est... qu'elle contient en soi sa raison, et que la science doit concevoir cette raison réelle qui y est présente... Le monde moral au contraire, l'État, la raison telle qu'elle existe sur le plan de la conscience de soi ne gagneraient rien à être en réalité celui où la raison s'élève à la puissance et à la force, s'affirme immanente à ces institutions. L'univers spirituel devrait être au contraire abandonné à la contingence et à l'arbitraire, il devrait être abandonné de Dieu », cf. la préface de *Principes de la philosophie du droit*, trad. A. Kaan, Gallimard, Paris, 1940, p. 33.

5. Cf. *id.*, p. 44.

6. Cf. HEGEL, Introduction aux *Leçons sur la philosophie de l'histoire*, traduite par K. Papaioannou dans *La Raison dans l'Histoire*, Plon, coll. « 10/18 », Paris, 1965, p. 116.

l'humanité, la violence est elle-même logique, et que la logique doit donc être violente. Si la raison est le propre de l'homme, si elle a son site dans l'homme, la violence humaine relève aussi, par des liens obscurs qu'il faut découvrir et dénouer, de cette même raison. Tel est aussi, dans son inspiration hégélienne, le postulat de Marx.

« L'histoire de toute société jusqu'à nos jours, c'est l'histoire de la lutte des classes[7]. » La phrase bien connue qui ouvre le *Manifeste du parti communiste* met la « lutte » au fronton de l'Histoire. Pas plus que Hegel et les philosophes en général, Marx n'emploie le terme « violence » qui ne saurait être qu'un terme descriptif et subjectif, traduisant la blessure de la sensibilité devant le mal que l'homme fait à l'homme. Une vision purement émotive de ce mal ne peut conduire qu'à des lamentations stériles, laissant la violence hors du champ de la pensée. En pénétrant la violence, la pensée au contraire la transforme, découvre une structure et une finalité à l'horrible et au chaotique. La violence doit donc changer de nom, devenir le négatif et la contradiction chez Hegel, la *lutte des classes* chez Marx. Le concept de *lutte des classes*, s'il est plus restrictif que le concept hégélien de contradiction, a l'avantage d'être moins métaphysique et mieux articulé au mouvement historique de la réalité sociale. Par lui-même il est déjà une analyse, il est déjà gorgé de logique, celle à laquelle obéit invisiblement l'Histoire, dont ce que nous appelons banalement violence n'est que la surface agitée : la violence est l'apparence, la lutte des classes, concept positif et concept clé, est la réalité de cette apparence. Ce n'est pas que manquent chez Marx les termes exprimant et décrivant la violence, mais ces termes s'organisent autour de la *lutte*

7. Cf. Karl MARX, *Œuvres,* trad. M. Rubel, coll. « La Pléiade », t. I, p. 161.

des classes comme autour d'un pôle logique qui les
répartit et les coordonne. La violence se structure
comme un moteur — le moteur de l'Histoire — où sans
cesse les énergies motrices qui donnent du mouvement se
séparent des énergies dégradées sur lesquelles elles
s'appuient en les éliminant. Ainsi : « A mesure que
diminue le nombre des potentats du capital qui usurpent
et monopolisent tous les avantages de cette période
d'évolution sociale, s'accroissent la misère, l'oppression,
l'esclavage, la dégradation, l'exploitation, mais aussi la
résistance de la classe ouvrière sans cesse grossissante et
de plus en plus disciplinée, unie et organisée par le mécanisme même de la production capitaliste[8]. » La violence
a pu paraître au début un remous confus de forces ; mais
pensée comme lutte des classes, elle devient un *système*
de forces cohérent dans lequel on distingue quelles mau-
vaises forces déclinent et quelle bonne force pousse à la
victoire, c'est-à-dire à l'unité et à l'harmonie. Quand elle
aura, au terme de l'époque historique présente, atteint
son maximum, la violence se retournera contre elle-
même dans un processus d'autosuppression qui constitue sa rationalité au cœur même de son irrationalité
apparente.

II. VIOLENCE ET PENSÉE NON DIALECTIQUE
OU « NON VIOLENTE »

On peut estimer que, si la dialectique permet une assimilation de la violence par la pensée, la violence résiste à
cette assimilation, que tout le poison ne devient pas
remède et, le deviendrait-il, qu'il resterait toujours à

8. Cf. *id.*, p. 1239.

savoir d'où est venu le poison. On peut estimer aussi que la pensée d'inspiration hégélienne et surtout marxiste, attentive aux manifestations historiques de la violence, en réduit trop vite le champ au système économique et social. S'il s'avère que l'homme a effectivement prise sur ce système, qu'il peut l'organiser conformément à sa liberté ou, comme dit Marx, au « libre épanouissement de l'individu » au lieu de le subir comme une contrainte, toute source de violence sera-t-elle de ce fait éliminée ? Les racines de celle-ci ne sont-elles pas si longues qu'elles se prolongent bien au-delà du champ des luttes sociopolitiques où la violence trouve sa manifestation, mais sans doute pas son origine ? L'histoire de notre siècle dément l'optimisme pourtant mesuré de Marx. Et l'on sait que Freud, qui a connu la Première Guerre mondiale et assisté aux préparatifs de la Seconde, rattache la violence à une mystérieuse *pulsion de mort*, aussi ancienne et inexpliquée que la vie elle-même. « Cette pulsion agressive (contre la vie en commun et la civilisation) est la descendante et la représentation principale de l'instinct de mort que nous avons trouvé à l'œuvre à côté de l'Éros, et qui se partage avec lui la domination du monde[9]. » Le combat mythologique entre Éros et Thanatos nous reconduirait alors hors de la pensée rationnelle. Il signifierait que, comme la matière chez Platon, la violence reste toujours « en deçà » de la pensée, hors de sa prise et donc rebelle à toute solution qui prétendrait venir de la raison. Une question reste cependant posée : si la dialectique échoue à penser la violence et, par là, à la résoudre, doit-on se résigner à la laisser impensée ? N'existe-t-il pas une forme de pensée non dialectique qui pourrait penser la violence sans la justifier, une pensée que nous pourrions donc qualifier de

9. S. Freud, *Malaise dans la civilisation*, trad. Ch. et J. Odier, PUF, Paris, 1971, p. 78.

« non violente » puisqu'elle n'examinerait la violence que de l'extérieur sans jamais se compromettre avec elle ?

L'attitude de non-violence

D'une telle pensée nous connaissons au moins l'attitude correspondante dite de « non-violence ». La thèse présupposée en est que la violence n'est jamais justifiable, ni, bien entendu, comme fin car l'homme ne peut avoir pour fin son malheur et sa destruction, ni non plus comme moyen car c'est son usage comme moyen, même en vue de sa suppression, qui précisément la produit. Peut-être la violence, hormis quelques cas insolites d'« acte gratuit », ne s'est-elle d'ailleurs jamais produite que dans le dessein de se supprimer, se disant toujours riposte à une agression et donc moyen de reconduire l'agresseur à un *statu quo ante* qui serait celui de l'équilibre et de la justice. Mais ce *statu quo* est perçu par l'agresseur comme une agression contre laquelle il se défend, et nous voilà donc entraînés, par le jeu de l'agresseur agressé, dans la recherche infinie d'un équilibre qui n'a sans doute jamais eu lieu, et qu'en tout cas la violence compromet plus sûrement qu'elle ne le procure. Situation absurde au regard du simple bon sens qui, lui, n'est pas dialecticien et pressent que la violence est une médiation mauvaise qui n'arrive à produire qu'elle-même au lieu de son contraire, ou que le remède est resté un poison et tue plus sûrement qu'il ne guérit. L'amorce de l'attitude non violente est dans la constatation que la violence ne peut se contester elle-même sans se reproduire, que, comme l'a bien montré René Girard, elle ne se combat elle-même qu'en se déchaînant et en reproduisant à l'infini le mime de sa figure grimaçante.

Ainsi la contestation non violente de la violence ne peut venir que d'« ailleurs », de l'extérieur de ce nœud gordien que seul peut trancher le fil d'une épée tombant d'en haut. Elle se veut sans compromission avec le jeu des violences existantes, disons tout court avec le jeu de l'Histoire. Si la violence ne médiatise pas sa suppression mais se nourrit d'elle-même, il faut l'atteindre hors de toute médiation, donc *immédiatement*, c'est-à-dire à la fois sans retard et sans moyens. Le non-violent ne peut être que dans la situation d'aller au-devant de la violence les mains nues, et d'en exiger la cessation tout de suite. Attitude prophétique qui peut être quelquefois, ce qu'elle paraît toujours, « désarmante », comme le fut celle des Sabines se jetant entre les combattants, leurs époux et leurs frères, mais vouant aussi le non-violent à devenir une victime sans défense. Alors que la pensée dialectique assume la violence comme raison, l'attitude non violente la rejette comme déraisonnable. Mais ici se pose la question : est-il possible de penser la déraison ? Si la violence redevient étrangère à la pensée, que pourra dire la pensée de la violence ? Expliquer la violence, en rendre compte, ne serait-ce pas commencer à la justifier, et donc entrer dans son jeu ?

Ce que peut être une pensée « non violente »

Une pensée non violente ne pourra donc être qu'une pensée de la non-violence, c'est-à-dire d'un monde d'où toute violence est exclue a priori, donc d'un monde autre, d'un monde d'« ailleurs » qu'on pourra appeler, si l'on veut, une *utopie*. Ainsi parle Kant, dans la perspective d'un monde fondé sur la raison morale, qui ne tient pas ses lois des circonstances mais des exigences de la seule raison. « Il ne doit y avoir aucune guerre ; ni celle entre toi et moi dans l'état de nature, ni celle entre nous en tant qu'États... Aussi la question n'est plus de savoir si la paix perpétuelle est quelque chose de réel, et si nous ne nous trompons pas dans notre jugement théorique... mais nous devons agir comme si la chose, qui peut-être ne sera pas, devait être[10]. » Action donc « intempestive », transcendant le cours des événements, relevant d'une morale pure qui n'a pas à se plier aux situations concrètes, mais seulement à les juger ; morale aux mains nues et, ajouterait ironiquement Péguy, aux mains propres « car elle n'a pas de mains ». A quoi on rétorquera que Kant recommande d'agir, ce pourquoi il faut des mains, mais « comme si la chose qui peut-être ne sera pas devait être ». L'action est ordonnée à un devoir-être hypothétique, c'est-à-dire idéal ou utopique car seuls cet idéal, cette utopie sont conformes à la raison.

On n'en conclura pas que Kant se désintéresse de l'histoire réelle puisqu'il s'efforce de déceler un progrès dans cette histoire. Mais le principe de ce progrès n'est pas à chercher dans le contenu de l'Histoire, il relève de la nature libre et raisonnable de l'homme qui lui permet d'être à la fois sujet et auteur de la loi. Ce principe, s'il est observé, exclut toute pression extérieure et arbitraire, donc toute violence. Du fait que l'homme porte en lui ce principe, on pourra le qualifier d'idéal, ou d'utopique au sens d'idéal, mais non de chimérique : « L'idée d'une constitution en harmonie avec le droit naturel des hommes, c'est-à-dire dans laquelle ceux qui obéissent à la loi doivent aussi, réunis en corps, légiférer, se trouve à la base de toutes les formes politiques ; et l'organisme général qui, conçu en conformité avec elles, selon de purs concepts de la Raison, s'appelle un *idéal platonicien* (*Respublica noumenon*), n'est pas une chimère, mais la norme éternelle de toute constitution politique

10. *Doctrine du droit*, cité par A. PHILONENKO, *L'Œuvre de Kant*, t. 2, Vrin, Paris, 1981, p. 268.

en général et écarte toute guerre[11]. » Prudent, Kant se garde bien cependant de convertir cet idéal en programme politique concret. Ne serait-ce pas donner comme prétexte à des actions violentes le principe qui fonde l'idéal de non-violence ? « Il est *doux*... d'imaginer des constitutions répondant aux exigences de la Raison,... mais il est *téméraire* de les proposer et *coupable* de soulever le peuple pour abolir ce qui présentement existe[12]. » Une pensée de la non-violence, et donc elle-même non violente, ne peut se projeter, comme les utopies de Platon, de Thomas More ou d'Harrington, que sur la scène du théâtre, mais non sur celle de l'Histoire. Quand cette projection a été tentée, comme le « monstre manqué » de la république de Cromwell, elle n'a abouti qu'au despotisme.

Le dilemme de la pensée philosophique devant la violence

La pensée philosophique se trouve ainsi devant un dilemme. Ou, dans un *réalisme* de la raison, elle pense le fait de la violence, le prend en compte et lui donne un sens, mais elle devient du même coup une pensée violente puisqu'en rationalisant la violence elle la justifie. Ou, dans un *idéalisme* de la raison, elle s'en détourne comme d'un domaine irrationnel et injustifiable ; elle devient alors une pensée non violente tournée vers l'harmonie et la paix universelles, mais l'irrationnel de la violence n'est plus pensé. Ainsi la force du réalisme conduit au cynisme, et l'innocence de l'idéalisme conduit à l'impuissance. Positions antithétiques, mais qui ont en commun, en tant que pensée, de ne pas avoir d'effet sur la violence elle-même. Raisonnable ou déraisonnable, la

---

11. « Le conflit des facultés », dans E. KANT, *La Philosophie de l'Histoire*, trad. S. Piobetta, Aubier, Paris, 1947, p. 230.

12. *Id.*

violence a lieu, et dans les deux cas demeure un défi pour la raison.

Ne serait-ce pas que la raison, à laquelle l'homme tend à s'identifier dans son pouvoir d'intelligence et de maîtrise de l'univers, n'est pas l'Absolu, mais est elle-même prise dans un mystère de l'être plus vaste que sa puissance, et qu'elle ne peut donc à elle seule élucider ? Si, lorsqu'il est en proie à la violence, l'homme ne peut prendre à témoin que lui-même, une raison qui n'a pu empêcher la violence le laisse à sa solitude. Ici le penseur entrevoit comme la nécessité d'une déchirure dans la toile de la raison, c'est-à-dire la possibilité de faire appel à une instance sans laquelle les efforts que fait l'homme pour s'arracher à la violence — et plus largement au Mal — ne font que les multiplier. On peut entendre dans ce sens un des derniers textes de Heidegger dont il avait demandé qu'il ne parût qu'après sa mort : « Si je peux me permettre de donner une réponse brève et peut-être un peu massive, mais qui est le fruit d'une longue méditation : la philosophie ne pourra pas provoquer un changement immédiat de l'état présent du monde. Cela ne vaut pas seulement pour la philosophie, mais pour toute visée et tout vouloir humains. *Seul un Dieu peut encore nous sauver.* La seule possibilité qui nous reste dans la pensée et dans la poésie, c'est la disponibilité pour la manifestation de ce Dieu ou pour l'absence de ce Dieu dans la catastrophe : que nous sombrions face au Dieu absent[13]. »

C'est dire, en philosophe, que la question de la violence n'est pas seulement une question d'analyses et de moyens rationnels, pas plus qu'une question de simple bon sens et de simple bonne volonté. Mais, en profondeur, elle relève radicalement de l'ancienne, et néan-

13. Interview donnée à l'hebdomadaire *Der Spiegel* et parue le 31 mai 1976.

moins toujours actuelle, question du Salut. Par-delà la raison qui justifie la violence, et la raison qui la refuse, sans pouvoir ni l'une ni l'autre l'empêcher, s'ouvre encore la possibilité d'en appeler à Dieu. Seul témoin possible de toute violence injuste, partenaire de l'homme dans cette histoire dure qui ne peut atteindre qu'en lui la réconciliation, Dieu découvre à l'homme, en la subissant lui-même sur la Croix, quel enjeu se cache dans la violence. En s'ouvrant à Dieu, l'homme ne s'en délivre certes pas immédiatement, mais son effort pour la réduire est tendu vers l'espérance qu'un jour elle se dissoudra à jamais dans l'Amour. Si toute voie vers Dieu était fermée, si la raison humaine était condamnée à se murer dans sa solitude, il ne lui resterait sans doute alors qu'à méditer l'inévitable catastrophe à venir : que nous sombrions face au Dieu absent.

Chapitre VI

LES FRONTIÈRES DE LA VIOLENCE
Éclairage biblique
par Alain MARCHADOUR*

Au mot « violence » sont rattachées des valeurs de sens multiples. Quand on se souvient que violence et vie s'originent dans la même racine, on comprend mieux la polyvalence du terme. La violence, c'est d'abord la manifestation de la vie, une force vitale qui est tout le contraire de l'immobilité et de la stabilité. La violence dont il sera question dans cet article se limitera à la forme particulière que prend la force vitale quand elle s'exerce injustement contre les autres. Elle désigne tout aussi bien la volonté de puissance individuelle que collective, telle que la guerre, la conquête injuste, etc.

Cette réalité ainsi délimitée est familière à tout homme. Depuis que l'homme existe, il a exercé ou subi des actes de violence. La Bible, dans la mesure où elle est aussi l'aventure d'êtres de chair et de sang, n'échappe pas à la contamination de la violence. Nous commencerons par en faire une vérification rapide. Et pourtant nous voulons croire que les écritures proposent un remède contre ce mal. Nous le montrerons par deux

* Assomptioniste, exégète, faculté de théologie, Institut catholique de Toulouse.

approches complémentaires : l'une plus statique sélectionnera quelques grands textes de la Bible comme des stèles toujours dressées contre les tentations de la violence. L'autre recherchera dans les commencements mêmes d'Israël un principe dynamique, conjuratoire de la violence.

I. LA VIOLENCE DANS LA BIBLE

Celui qui ouvre la Bible aujourd'hui en notre XXe siècle finissant n'est pas dépaysé. Il y trouve, pêle-mêle, toutes les formes de violence dont l'homme est capable. Lorsque commence l'aventure humaine proprement dite, en dehors du jardin perdu, la première chose qu'invente l'homme, c'est la mort (Gn 4). Ève inaugure la vie ; mais Caïn répond par la mort. Dès le commencement, *Bios* (la « vie ») et *Bia* (la « violence ») font bon ménage. Au fil de l'Histoire, la violence s'amplifie puisque Lamek multiplie la vengeance par soixante-dix-sept fois (Gn 4, 24). Cette violence originelle prend une telle ampleur qu'elle provoque la violence de Dieu : c'est le déluge : la violence à l'état pur (Gn 6-9).

Lorsque Sichem, le fils de Hamor, violente Dina, la fille de Jacob, ses frères déclenchent un massacre général : « Ils tuent tous les mâles de la ville, assaillent les blessés, prennent le petit et le gros bétail et leurs ânes, ravissent tous les biens et tous les enfants et les femmes et pillent tout ce qu'il y avait dans les maisons » (Gn 34).

Il n'est pas nécessaire ici de multiplier les exemples. Mais il faut dire un mot d'un autre type de violence beaucoup plus difficile à accepter puisqu'il s'autorise de la volonté de Dieu lui-même. Nous savons qu'une des caractéristiques du Dieu d'Israël, c'est sa « jalousie » :

« Dieu est un *Dieu jaloux* » (Ex 20, 5). Ce mot se traduit en grec par « zélote ». La violence que pourra
prendre le comportement zélote dans le cours de l'histoire d'Israël se fonde sur la violence même de Dieu qui
n'accepte aucune compromission de ses fidèles et exige
même d'eux un comportement fanatique quand la foi en
lui est menacée. Évoquons comme exemple le sacrifice
du carmel au cours duquel le prophète Élie, défenseur
des droits de Dieu, relève le défi des quatre cent cin-
quante prophètes de Baal et les autres cent prophètes
d'Ashéra. Sorti vainqueur, il manifeste jusqu'au bout
son zèle pour Dieu : « Saisissez les prophètes de Baal.
Que pas un ne s'échappe. Et Élie les fit descendre dans
le ravin de Qishon où il les égorgea » (1 R 18, 40).

Il arrive même, au cours de la guerre sainte, que les
Hébreux soient tenus d'exécuter scrupuleusement la
règle du *hérem*, qui exige de détruire tous les ennemis et
ce qui leur appartient. En dehors de Rahab épargnée
pour avoir caché les espions hébreux, ce sera le sort de la
ville de Jéricho : « Ils dévouèrent à l'anathème tout ce
qui se trouvait dans la ville, hommes et femmes, jeunes
et vieux, jusqu'aux taureaux, aux moutons et aux ânes,
les passant au fil de l'épée » (Jos 6, 21[1]).

Pour n'avoir pas appliqué scrupuleusement la loi du
hérem, Akan provoqua la colère de Yahvé qui ne
s'apaisa que par le châtiment du coupable (Jos 7). Il faut
bien l'admettre : les histoires rapportées par la Bible ne
sont pas toujours édifiantes, et on comprend que pendant longtemps l'Église n'ait pas recommandé l'accès de
tous à la Bible. Bossuet, dans une lettre à l'abbé de
Rancé, lui faisait part de sa conviction : « L'expérience

---

1. Celui qui voudra lire d'autres exemples de *hérem* se reportera à
Nb 21, 2 ; Dt 2, 34 ; 3, 6 ; 7, 2 ; Jos 2, 10 ; Jug 1, 17. En Jug 21, 11, la
loi du *hérem* est adoucie par cette exception : « Vous laisserez la vie
aux vierges. »

m'a appris que l'Ancien Testament permis sans discrétion fait plus de mal que de bien aux religieuses[2]. »

Pourtant aujourd'hui la Bible se trouve entre toutes les mains. Alors que faire de ces développements habités par la violence, en dehors de la possibilité largement exploitée de les sauter à pieds joints ? Mais, s'ils ne sont plus lus, pourquoi les conserver ? La réponse est à chercher dans la prise au sérieux de l'expression par laquelle on résume communément l'aventure d'Israël : c'est une histoire du salut. En d'autres termes, la sainteté ne se manifeste qu'à travers l'Histoire, c'est-à-dire la durée, le temps. Il n'y a pas à se scandaliser de ce que la Bible soit parfois très humaine : elle ne cesse jamais d'être une histoire d'hommes avec leurs enracinements humains, leur fragilité et leurs pesanteurs. Mais alors où faut-il rechercher l'irruption de la révélation ? Comment dans cette opacité et cette lenteur transparaît la Parole incisive de Dieu ? Je voudrais le montrer à travers deux étapes : la première veut souligner quelques textes majeurs de la Bible qui, tels d'immenses stèles indestructibles, se dressent, face à Israël et à l'humanité tout entière, dénonçant par avance toutes les violations contre la dignité de l'homme, même quand ces violations sont le fait du peuple juif ou de la communauté chrétienne. La seconde s'attachera à rechercher dans le cœur de la révélation un principe permanent qui barre la route à la violence.

2. Bossuet, *Œuvres complètes*, t. XI, p. 123.

II. QUELQUES TEXTES PHARES

Un texte, aussi sublime soit-il, court toujours le risque d'être ignoré, censuré ou manipulé. On sait par expérience que les plus belles pages pèsent peu à côté du sang répandu. Pourtant on peut penser que, dans l'immense production biblique, se détachent quelques monuments qui surplombent l'histoire humaine et continuent, malgré la distance et le temps, d'interroger la conscience humaine. Je voudrais ici proposer un choix de quelques-uns de ces textes les plus évocateurs.

Genèse 1, 1-2, 4 : A l'image de Dieu

La manière dont un peuple raconte ses commencements est toujours importante. Quand une communauté s'accorde pour reconnaître en un temps précis, en des circonstances particulières son temps fondateur, il se donne des raisons de vivre aujourd'hui, et de vivre ensemble, donc il manifeste un consensus sur des règles communes.

Au seuil de son livre, Israël a placé le récit de la création du monde en sept jours. Il importe peu que ce texte soit parmi les plus récents de la Bible. Ce qui compte, c'est qu'Israël l'a reçu comme un commencement normatif, une vérité permanente et fondatrice sur Dieu et l'homme dans leurs relations mutuelles. De ce texte je retiendrai deux affirmations complémentaires. La première souligne la distance infranchissable entre l'homme et Dieu. A la différence des mythes babyloniens que notre texte a certainement connus, aucune confusion ne subsiste entre le monde des dieux et celui des hommes. Dieu créé par sa parole, et cet acte créateur a comme premier résultat de séparer les choses mêlées, donc d'établir une distance entre les eaux supérieures et les eaux inférieures, entre la terre et le ciel, etc. La seconde souligne au contraire la proximité étrange entre Dieu et l'homme : « Dieu dit : faisons l'homme à notre image comme notre ressemblance... Dieu créa l'homme à son image, à l'image de Dieu il le créa, homme et femme il les créa (Gn 1, 26-27). Les exégètes se sont demandé de quelle nature était cette proximité unique entre Dieu et l'homme. Puisque de toutes les créatures l'homme est le seul qui soit ainsi qualifié, on peut penser à ce qui précisément le différencie des animaux et autres créatures : son intelligence, sa volonté, sa sensibilité et sa capacité créatrice.

Ce texte recevra bien des approfondissements dans le cours de l'Histoire. Le psalmiste, par exemple, dira son étonnement admiratif devant le double visage de l'homme, à la fois si misérable et si sublime : « Qu'est-ce que le mortel que tu t'en souviennes ? Le fils d'Adam que tu le veuilles visiter ? A peine le fis-tu moindre qu'un Dieu, tu le couronnes de gloire et de splendeur » (Ps 8) Jésus, « Image du Dieu invisible, premier-né de toute créature » (Col 1, 15), dévoilera la profondeur de ce texte inaugural. Mais, déjà par lui-même, le récit de création confère à tout homme, quelle que soit sa religion, sa race, sa couleur, une dignité et une grandeur qui s'enracinent dans la dignité et la grandeur même de Dieu. Toucher au visage d'un homme, c'est, d'une façon mystérieuse mais réelle, toucher au visage de Dieu lui-même : « Qui verse le sang de l'homme, par l'homme aura son sang versé, car à l'image de Dieu l'homme a été fait » (Gn 9, 6).

Genèse 4, 1-16 : Les exigences de la fraternité

La grandeur de certains textes se mesure à leur capacité à maintenir en éveil la conscience des hommes et à éclairer leurs grands choix. Ceci est vrai de l'histoire symbolique de Caïn et Abel ; comme Genèse 1, il s'agit d'un texte fondateur, d'un récit de commencement, ainsi que l'a noté A. Neher : « Le temps dans lequel nous sommes, le temps de notre humanité a commencé non pas dans le paradis, mais au moment où le shabbat étant écoulé, Adam et Ève étant déjà en dehors du paradis, ils ont commencé à compter les jours, du lever au coucher du Soleil comme nous les comptons encore. Ici commence donc l'histoire humaine proprement dite... L'homme dispose maintenant de son pouvoir entier et c'est en vertu de ce drame que se noue ici le drame[3]. » Ce qui commence en Genèse 4 et en fait un texte exemplaire de l'histoire humaine, c'est l'histoire de la violence et de sa conjuration. Le même Neher l'a bien souligné : « Tout se passe comme si l'homme n'avait pu créer autre chose que la violence. Ce qui prédomine à la lecture, c'est que tout est violence. On pourrait dire que ce que l'homme invente dans ce chapitre, c'est la mort. Lorsque les hommes tiennent leur histoire en main et peuvent la forger, ce qu'ils créent centralement, c'est la mort[4]. »

Mais si l'histoire de Caïn et Abel n'était que le récit inaugural de la violence qui préside aux relations entre les hommes, il n'y aurait pas lieu de lui accorder une attention particulière. Que la violence soit une donnée permanente de la vie sociale, nous ne le savons que trop. Pour nous en souvenir, il nous suffit de nous mettre à l'écoute d'autres mythes fondateurs comme celui de Romulus et Remus, ou tout simplement de laisser parler notre expérience de tous les jours.

Mais précisément l'originalité du récit biblique tient au fait qu'il ne se contente pas de mettre en scène la violence originaire et de nous en décrire le mécanisme. Il commence par la dénoncer comme insupportable et lui

---

3. A. NEHER, *L'Existence juive*, Seuil, Paris, 1962, p. 37.
4. *Id.*

fixe des limites. Pour s'en convaincre il suffit de regarder avec attention le texte lui-même.

On remarque d'abord que la figure d'Abel a peu de consistance. Alors que l'étymologie populaire de Caïn est donnée, celle d'Abel manque. Il est curieux de remarquer qu'en hébreu *Abel* signifie « vanité » ! L'effacement d'Abel est confirmé par la lettre du texte. Cité dix fois, il n'est en position autonome que trois fois. Le reste du temps il n'est que le frère de Caïn. De bout en bout c'est un acteur passif, objet silencieux de la faveur de Yahvé, puis victime de la violence de son frère. Entre lui et Yahvé, comme entre lui et Caïn, il n'y a aucune communication verbale. En revanche, Caïn apparaît comme le personnage central, affronté à Dieu. Finalement, on peut s'interroger : est-ce un récit à deux ou trois personnages ? De toute façon, tout cela ne semble pas le fait du hasard. Le statut d'Abel est celui de « frère » : l'insistance du texte est trop criante pour n'être pas significative. N'est-ce pas une certaine façon d'inscrire une appréciation morale sur le meurtre ? C'est une autre façon de dire que tuer, c'est toujours tuer un frère. Ce récit est fondateur parce qu'il pose que la violence qui depuis le commencement préside aux relations humaines a toujours été une *violence fratricide*[5]. C'est donc plus qu'un constat : c'est une condamnation : « Écoute le sang de ton frère crier vers moi du sol » (Gn 4, 10). La terre est donnée par Dieu pour être une terre de fraternité et de réconciliation. Si par malheur elle devient terre de violence et de mort, elle vomit ses habitants : la violence contre Dieu (Gn 2-3) et celle contre le frère (Gn 4) conduisent l'une et l'autre à l'expulsion.

On peut résumer ainsi la fonction de ce texte dans

5. A propos de Caïn, le livre de la Sagesse évoque les « passions fratricides » qui provoquèrent sa propre mort (Sg 10, 3).

l'aventure historique d'Israël, et plus largement dans l'expérience humaine : dès son inauguration la communauté humaine a connu la violence. Celle-ci est dénoncée comme un crime parce qu'elle est violence contre un homme qui est mon frère. Cette violence est destructrice puisqu'elle entraîne une triple rupture : rupture avec Dieu (je devrai me cacher *loin de ta face*), rupture avec le frère, rupture d'avec la terre nourricière, personnalisée puisque le texte hébreu parle de la « face de la terre ».

Ce récit s'achève de façon énigmatique : un signe est posé sur Caïn. L'interprétation est discutée. Peut-être s'agit-il, à l'origine, d'un genre de tatouage qui aurait été la marque distinctive des qénites, les descendants de Caïn ? Ce que l'on peut souligner, c'est que Dieu prend le parti de la victime et que la dénonciation de la violence par Dieu reste la même lorsque, tel Caïn, les acteurs de la violence en deviennent les victimes.

1 Rois 3, 16-28 : Mourir contre la violence

Tout choix est arbitraire. Les limites de cet article nous obligent à sélectionner donc à éliminer. Je voudrais pourtant mentionner un dernier texte dans lequel René Girard a voulu voir une sorte de préfiguration symbolique du Christ : il s'agit de l'épisode mystérieux de 1 Rois 3, 16-28 qui rapporte comment Salomon a conjuré une scène de violence entre deux femmes.

Girard voit là une sorte de récit idéal de la mise en scène de la violence. L'épisode se déroule de nuit, dans ce temps propice à toutes les confusions et donc à toutes les violences. Deux femmes, seules dans une maison, l'une et l'autre prostituées, mettent au monde deux enfants. L'un meurt de nuit. Et chacune dit : Le vivant, c'est le mien. Au départ nous trouvons une situation nocturne qui rend impossible la séparation, condition indispensable pour mettre un terme à la violence. Or le mensonge et la vérité sont tellement enfouis que leur mise à la lumière paraît impossible. Parlant de la vraie mère, D. Vasse imagine une situation limite : « Cette substitution (de son enfant), de nuit, elle peut l'avoir rêvée ou l'avoir inventée. Après tout, il n'est pas impossible que, dans un redoublement de jalousie perverse, ce soit elle la menteuse[6]. »

René Girard a bien montré que ce récit fonctionnait comme une sorte de mode d'emploi de la violence, dans sa naissance, son fonctionnement et sa conjuration. En effet, rien ne permet de distinguer les deux femmes : elles font le même métier, habitent la même maison, ont chacune un enfant, ne portent aucun nom propre. Et voici que l'égalité est rompue par la mort d'un des enfants. Leur désir se porte alors vers ce que possède l'autre. Pour tuer ce désir, l'une est prête à supprimer l'enfant survivant. Avec Girard, je voudrais souligner deux aspects exemplaires de ce récit.

D'abord, l'une des femmes met fin au cycle de la violence en préférant renoncer à son enfant pour que celui-ci vive. Plutôt sa mort à elle (comme mère) que celle de l'enfant : « S'il te plaît, monseigneur, qu'on lui donne l'enfant vivant, mais qu'on ne le tue pas » (1 R 3, 26). « La bonne prostituée accepte de se substituer à la victime sacrificielle non parce qu'elle éprouve une attirance plus ou moins morbide pour le rôle, mais parce que, à l'alternative tragique "tuer ou être tué", elle répond : "être tué", non par masochisme, instinct de mort ou volonté de sacrifice, mais "pour que l'enfant vive". Dans cette situation décisive qui révèle le fondement des communautés humaines, le Christ aussi épouse une attitude qui, forcément, l'expose à la violence d'une communauté tout entière désireuse de persévérer dans le

6. D. Vasse, *Un parmi d'autres*, Seuil, Paris, 1978, p. 38.

sacrifice, c'est-à-dire de refouler la signification radicale de ce qui lui est proposé[7]. »

Ensuite, René Girard fait remarquer que, malheureusement, nous ne disposons pas, comme les deux prostituées, d'un homme miraculeux, capable de discerner et donc de séparer le Bien du Mal. Mais, si faute d'un arbitre suprême, nous disposions d'une référence solide capable de séparer l'ordre du désordre en dressant un mur qui délimite la violence et la conjure ? C'est ce que la dernière partie de mon exposé voudrait montrer.

III. LA LOI ET LA VIOLENCE

Arrivé à ce stade de notre développement, le lecteur pourra s'interroger : la Bible, ce n'est pas seulement une sélection de textes ; ce n'est pas seulement une série de livres juxtaposés les uns à côté des autres ; c'est essentiellement un grand récit unifié par une intrigue qui se dévoile progressivement dans le temps et la durée et prend son sens définitif par la personne de Jésus-Christ.

Est-il possible de saisir en son jaillissement le commencement qui fonde l'ensemble de cette histoire et constitue, au cœur même des transformations inévitables du visage du peuple juif et de la communauté chrétienne, l'invariant qui ne doit à aucun prix disparaître ?

Au commencement était l'alliance

Il n'est jamais aisé de définir un commencement : les temps fondateurs sont toujours définis comme tels bien

---

7. R. GIRARD, *Des choses cachées depuis la fondation du monde*, Grasset, Paris, 1978, pp. 264-265.

longtemps après leur déroulement. Ainsi est-il possible de localiser le lieu et le temps de naissance d'Israël ? La Bible nous facilite la tâche puisque de bout en bout elle porte la marque des événements de l'Exode : *en amont* car les récits des patriarches ont été écrits à la lumière de l'Exode, *en aval* parce que l'histoire postérieure d'Israël se réfère toujours à la norme mosaïque.

On peut résumer ainsi la valeur fondatrice et normative de l'Exode : Dieu prend un visage nouveau, tellement imprévisible qu'il ne pouvait être connu à l'homme que par révélation. C'en est fini des trois visages traditionnels de la divinité : le dieu *des origines* dont on réactualise régulièrement la présence et l'efficacité par les mythes fondateurs (dieu de la nostalgie), le dieu de la *nature* auquel on communie en se coulant dans le cycle répétitif de la nature qui meurt et renaît au rythme des saisons (dieu de la fatalité), le dieu des *sanctuaires* que l'on rencontre en quittant le monde profane pour les hauts lieux (dieu du sacré). Le Dieu qui se révèle au Sinaï, c'est un Dieu qui rejoint l'histoire des hommes, et qui désormais établit sa présence au milieu de son peuple : « Je suis qui je serai » ; désormais mon nom, c'est une présence et une promesse. *Dieu et son peuple* : voilà les deux termes désormais indissociables. Il nous faut maintenant préciser la nature de leurs relations. Dieu parle, l'homme doit lui répondre : c'est à l'intérieur de l'alliance que se réalise la restitution de l'homme au don de Dieu.

La Loi, lieu de la relation

Qui dit « alliance », parle de « liens » ou de « lois ». Les trois termes exploitent la même racine : la loi c'est ce qui relie les hommes entre eux, ce qui les engage les uns envers les autres.

La révélation, c'est avant tout le fruit de l'initiative

gratuite de Dieu. Mais devant cette initiative l'homme ne reste pas passif : il lui est donné un moyen de reconnaître le don de Dieu, c'est la Loi.

Le premier résultat de la loi du Sinaï, c'est de créer un peuple, c'est-à-dire des hommes reliés aux mêmes événements fondateurs, engagés dans la même histoire, soudés par une même solidarité, en accord sur les droits et devoirs des uns envers les autres. Avant, il y avait des hommes et des femmes rassemblés par le sang ou la solidarité tribale. Désormais, la loi institue une fraternité nouvelle qui s'enracine non plus dans le sang mais dans la foi commune.

Avant même de préciser l'originalité de la loi biblique, il est utile de préciser le rapport entre la loi et la violence. C'est d'autant plus urgent que notre appréciation de la loi est le plus souvent connotée négativement. Quand on interroge les législations anciennes on en retire une autre impression. Le code d'Hammurapi est un code législatif fameux du Proche-Orient ancien, datant du commencement du IIe millénaire avant Jésus-Christ. Dans son prologue, il donne le sens des lois qui vont suivre : « Proclamer le droit dans le pays, éliminer le mauvais et le pervers, pour que le fort n'opprime pas le faible. » Dans l'épilogue, Hammurapi revient, dans une sorte d'inclusion, sur ce même objectif de son œuvre législative : « J'ai écrit mes précieuses paroles sur ma stèle pour que le fort n'opprime pas le faible, pour rendre justice à l'orphelin et à la veuve[8]. » Voilà la grandeur de la loi : sa fonction est de relier les hommes entre eux, de séparer le Bien du Mal, et de dresser une barrière contre la violence qui pousse les forts à opprimer les faibles[9].

8. Texte dans *Le Code d'Hammurapi*, littératures anciennes du Proche-Orient, Cerf, Paris, 1973.

9. E. LÉVINAS : « L'humain commence là où cette vitalité, en apparence innocente, mais virtuellement meurtrière, est maîtrisée par des

Originalité de l'alliance biblique

Pour mesurer l'originalité de l'alliance biblique, nous pouvons partir de ce qui constitue le résumé de la loi, dont les codes de lois postérieurs ne seront que le développement, l'explicitation et l'actualisation : le *Décalogue* (Ex 20, 1-27).

Il s'ouvre par un prologue historique : « Je suis Yahvé, ton Dieu qui t'ai fait sortir du pays d'Égypte, de la maison de servitude... » Voilà le fondement, ce qui va donner sens à la réponse du peuple. C'est dire que ce premier verset est constitutif du décalogue. Le supprimer, comme le faisaient les catéchismes d'autrefois, c'est prendre le risque de séparer la morale de la révélation, et donc de transformer en moralisme ce qui était à l'origine la réponse d'un peuple à son Dieu, la reconnaissance de la dette, le contre-don ; en d'autres termes une véritable structure de réciprocité.

La réponse du peuple comporte une double face : la première s'adresse à Dieu (Ex 20, 3-11). Dieu qui a libéré son peuple attend de celui-ci qu'il se mette à son service inconditionnel : exigence d'un culte à la hauteur du Dieu du Sinaï (interdiction des images sculptées), interdiction de vénérer d'autres divinités, interdit d'utiliser le nom de Dieu à des fins magiques, consécration du sabbat comme le temps de Dieu où se manifeste par excellence le passage de la servitude au service de Dieu.

La seconde face s'adresse au frère (Ex 20, 12-17). On pourrait ainsi paraphraser : Dieu qui vous a arrachés à la violence des Égyptiens interdit que vous deveniez à votre tour les oppresseurs de vos propres frères. Les interdits élémentaires du décalogue seront ensuite précisés dans les législations postérieures : mais en définitive

interdits », cf. « De la lecture juive des Écritures », dans *Lumière et Vie*, 44 (p. 10).

ils ne diront pas autre chose que cette exigence permanente du Dieu de l'Exode : le service que Dieu demande
recouvre toujours l'espace religieux et l'espace profane.

On s'est souvent demandé où se trouve l'originalité de
la morale biblique. A mon sens, il ne faut pas la chercher ailleurs que dans son enracinement dans la révélation et dans sa dimension globalisante.

C'est d'abord et essentiellement parce qu'elle est
réponse à un Dieu qui se révèle que la morale biblique
est unique.

La loi porte en même temps sur la relation au frère et
sur la relation à Dieu. On a remarqué que les codes de
lois anciens séparaient scrupuleusement le domaine religieux du domaine social et profane. Dans la Bible, il en
va tout autrement. Le fondement « Je suis Yahvé qui
vous ai fait sortir... » recouvre la première (s'adressant
à Dieu) et la seconde partie (s'adressant au frère) : la
réponse du peuple n'est réelle que si elle intègre Dieu et
le frère. Puisque Dieu t'a libéré, tu dois le servir librement et t'interdire d'asservir ton propre frère.

S'il est vrai que l'origine de la loi, c'est la défense du
faible contre le violent, on mesure l'efficacité et l'exigence unique de la loi biblique. Si Dieu exige en même
temps qu'on le serve et qu'on aime ses frères, c'est lui-
même qui se dressera chaque fois qu'un pauvre de son
peuple sera maltraité : car asservir un frère, c'est toujours briser l'alliance.

La Loi détournée ou la fin du consensus

Certains me trouveront un peu naïf dans ma vision
idyllique de la loi présentée comme une réalité parfaite
sauvegardant en même temps les droits de Dieu et les
droits des hommes. La loi ne peut-elle pas devenir un
moyen légal d'exercer une violence contre des innocents
et des faibles ? Ce risque est encore plus grand quand la

loi qui fait autorité est présentée comme venant de Dieu lui-même, et qu'elle est ainsi revêtue d'une force symbolique immense.

Malgré tout, on peut penser que dans la période qui va jusqu'au temps des rois, la loi a joué ce rôle de régulation dans la vie sociale et religieuse. Elle constituait une référence objective qui permettait à chacun de mesurer sa fidélité. Cette fidélité était d'ailleurs perçue avant tout comme une attitude de peuple : l'interlocuteur de Dieu c'est le peuple, la communauté née sur la montagne du Sinaï et représentée par le « tu » du décalogue. Cela ne veut pas dire que l'individu n'a pas d'existence. Simplement, sa réponse à Dieu s'inscrit dans une communauté, et son péché a toujours une dimension collective. Le maître mot qui définit et vérifie les relations d'alliance est « aimer », nuancé parfois par « craindre ». Ces mots que l'on trouve dans d'autres codes de lois désignent une réalité objective : le fait de reconnaître les droits de Dieu et de mes frères en même temps que les engagements de Dieu et de mes frères envers moi.

Ce temps relativement harmonieux où la violence était canalisée par le monument mosaïque prend fin avec l'avènement de la royauté. Cette période constitue vraiment une cassure dans l'histoire d'Israël, un moment où des réalités nouvelles et dépendantes apparaissent, comme la nation, la royauté, l'Écriture. Israël veut devenir « une nation comme les autres » (1 S 8, 6). Mais c'est aussi la fin d'un certain consensus qui a régné jusque-là. Israël, sous l'impulsion des rois David et Salomon, devient une grande nation. Même après la séparation du Nord et du Sud, le commerce avec les voisins prend de l'ampleur : des juifs s'enrichissent, du coup les écarts deviennent criants entre ceux qui vivent dans le luxe et les défavorisés. Les ivoires trouvés à Samarie montrent le luxe de quelques-uns. Amos annonce la fin « des résidences décorées d'ivoire » (Am 3, 4) et s'en prend violemment aux « dames de Samarie plantureuses comme les vaches de Basan » (Am 4, 1).

L'unité nationale, l'appartenance au même peuple, le partage de la même foi : tout cela est devenu un alibi. La Loi qui avait donné naissance au peuple et l'avait maintenu en vie n'est plus qu'une façade derrière laquelle apparaît la décomposition d'un peuple. Les plus riches oppriment les plus pauvres, l'Hébreu est devenu l'oppresseur de son frère.

Le surgissement des prophètes

L'apparition des prophètes coïncide avec celle des rois. Cela n'a rien d'occasionnel. C'est précisément au moment où la Loi risque de servir de façade que la voix prophétique s'impose. En effet, on peut dire que le prophète n'a pas d'autre fonction que de dévoiler au grand jour les exactions contre la loi, de faire apparaître que la loi est violée : « Le prophète déclare à l'indicatif que la loi est violée. Même, plus qu'un constat, c'est une révélation qu'il apporte. Car ceux qui transgressent le décalogue sont ceux qui le récitent, et leur faute leur est inaperçue à eux-mêmes. Ici encore le prophète passe du général au particulier, et le particulier doit être tiré de sa cachette. Il est naturel au mal de se cacher et il revient au prophète de le rendre visible[10]. »

Ainsi, on verra le prophète se faire l'écho de Dieu pour défendre, au nom de l'alliance, les droits des pauvres. Lorsque David vole la femme d'Urie et envoie ce dernier à une mort certaine, le prophète l'oblige à reconnaître son péché à travers un récit parabolique

10. P. BEAUCHAMP, *L'Un et l'Autre Testament*, Seuil, Paris, 1976, p. 88.

(2 S 12, 1-15). Élie est mandaté par Dieu pour dénoncer le crime d'Achab et de Jézabel qui ont tué Nabot pour lui voler sa vigne : « Tu lui diras ceci, ainsi parle Yahvé : "Tu as assassiné, et de plus tu usurpes" ; c'est pourquoi, ainsi parle Yahvé : "A l'endroit où les chiens ont lapé le sang de Nabot, les chiens laperont ton sang à toi aussi » (1 R 21, 19).

Pour illustrer les accents sociaux des discours prophétiques, il faudrait relire tous les textes prophétiques. Signalons la dénonciation contre les assassinats, fréquents sous la monarchie[11], la prédication contre la violence et l'oppression des pauvres[12], contre la privation de liberté et l'emprisonnement injuste des esclaves[13], contre l'oppression du pauvre, de l'indigent et de l'étranger[14].

Ces deux exemples ne doivent pas nous faire croire que le rôle prophétique se réduit à cette dénonciation des injustices sociales exercées contre les petits. En réalité, son intervention a toujours une connotation religieuse ; elle est toujours en relation directe avec l'alliance. Celui qui a été libéré par Yahvé de la servitude ne peut devenir oppresseur de son frère, sous peine de s'exclure de l'alliance. Les prophètes convoquent ainsi le peuple à un véritable procès où les griefs sont dévoilés :

11. Os 1, 4 et 1 R 21 ; 2 R 9, 7 ; 10 ; Is. 1, 15 ; 5, 7 ; Mi 3, 10 ; Jr 7, 9 ; Ez 22, 3, 6, 9 ; Am 1, 3-2, 3.

12. Am 4, 1 ; 5, 12 ; Os 4, 2 ; Mi 2, 8 ; 6, 12.

13. Jr 34, 8-22 ; Ez 22, 7-12, 29.

14. Ez 22, 29.

Pour plus de détails, cf. L. LOPEZ DE LAS HERAS, « *Los derechos y la dignitad del hombre segun la Biblia* », in *Studium*, XXII (1982), pp. 33-70.

Le Seigneur est prêt pour un procès
il est en place pour juger son peuple
il fait passer en justice les conseillers et les chefs
                                    [de son peuple
C'est vous qui avez ravagé la vigne
vous avez rempli vos maisons
de ce que vous avez pris aux pauvres.
De quel droit écrasez-vous mon peuple
et faites-vous violence aux pauvres ?
demande le Seigneur, le Dieu de l'univers.

                                         (Is 3, 14)

Les israélites continuent de rendre un culte à Dieu ; en fait leur comportement est hypocrite. Le prophète est là pour le dévoiler : « En réalité, vous êtes pour moi comme des Éthiopiens » (Am 9, 7) ; en d'autres termes votre appartenance au peuple élu n'est pas une garantie si vous êtes infidèles à la Loi.

Les accents anticulturels que l'on trouve dans les discours prophétiques ne doivent donc pas être interprétés comme des rejets de l'expression culturelle : un israélite totalement opposé au culte est invraisemblable dans le monde biblique, puisque c'est dans le cadre des sanctuaires que les prophètes lancent leurs dénonciations : ce qui est condamné, c'est la séparation de ce qui doit être inséparable ; le culte et l'amour des frères :

Vos sacrifices de bêtes grasses, j'en détourne les
                                               [yeux,
éloigne de moi le brouhaha de tes cantiques ;
le jeu de harpe, je ne puis l'entendre.
Mais que le droit jaillisse comme les eaux
et la justice comme un torrent intarrissable.

                                      (Am 5, 21-25)

On pourra lire dans le même sens Is 1, 10-17, ainsi que Am 5, 21-27 et surtout le magnifique chapitre 6 de Michée qui dénonce lui aussi l'hypocrisie du culte en le

mettant en relation avec les événements de l'Exode :
« Me reprochez-vous de vous avoir fait sortir
d'Égypte », et s'achevant par un appel à la réconciliation :

> On t'a fait savoir ô homme ce qui est bien,
> ce que Yahvé réclame de toi :
> rien d'autre que d'accomplir la justice,
> d'aimer la bonté et de marcher humblement avec
> [ton Dieu [15].

Pour être complet, il resterait à montrer comment
Jésus s'inscrit dans ce courant dynamique. Il n'abolit
pas la loi, mais la radicalise. Comme les prophètes, il
dénonce l'hypocrisie du culte et suggère de commencer
par se réconcilier avant d'offrir une offrance (Mt 5, 25).
La loi qui jusque-là s'arrêtait au seuil des consciences
dénonce jusqu'à la violence du cœur (Mt 5, 27). Surtout
les partenaires de la Loi et donc de l'amour ne sont plus
les seuls juifs, encore moins les membres du clan.
L'ennemi lui-même a le droit à mon amour. Ce discours
subversif est tellement insupportable aux juifs que Jésus
doit emprunter le détour de la fiction pour le transmettre : c'est la parabole du Samaritain qui proclame
que désormais l'amour n'a plus de frontières puisque
tout homme dans le besoin mérite d'être secouru. Voilà
l'aboutissement du mouvement mis en place sur le Sinaï.
Désormais, la violence est conjurée à condition que les
hommes acceptent de vivre vraiment la parabole comme
Jésus a su le faire.

15. Lire avec la même référence à l'Exode, Am 1, 6-16, « Et moi, je
vous avais fait monter du pays d'Égypte. »

Chapitre VII

LA FORCE DE L'AMOUR
Par André DUPLEIX*

Cette contribution théologique fait partie d'une réflexion d'ensemble. La théologie ne peut être un élément isolé, pas plus que le seul champ d'appréhension du réel religieux ou de la démarche de foi. Paradoxalement elle ne devient vraiment « cœur de compréhension » que dans la confrontation aux autres questions qui apparaissent dans les divers registres de la vie humaine. La réception de la Parole n'a lieu, de fait, que dans un rapport entre la liberté de Dieu créateur et celle de l'homme marqué par sa propre recherche et les limites de son expérience.

Cette étude suppose donc les compléments scripturaires ou ecclésiologiques d'une part, autant que les questionnements de la philosophie ou des sciences de l'homme exprimés dans ce dossier. J'argumenterai toutefois à partir de mes propres sources et rendrai compte d'un choix théologique précis. Le plan sera le suivant : une introduction sur la situation présente et les questions

* Théologien, faculté de théologie, Institut catholique de Toulouse.

posées, puis deux points : la référence au témoignage de Jésus et le Mystère de la Croix. La conclusion sera la simple évocation d'un témoignage récent.

I. DANS UN MONDE VIOLENT

La violence est inscrite dans le champ d'expériences constant de l'humanité. Le mot « violence » est certes porteur de sens multiples pouvant aller du geste sans conséquence à la volonté de destruction la plus terrible en passant par les contraintes psychologiques ou les raisons justifiables du terrorisme. La persistance du fait, quels que soient ses développements, a conduit évidemment à ne point la traiter comme une incidence, mais comme un élément fondateur dans le domaine de l'anthropologie sociale et religieuse. L'œuvre de René Girard, quelles que soient les nuances qu'elle nécessite est à cet égard significative.

« Dans les interprétations religieuses, la violence fondatrice est méconnue, mais son existence est affirmée. Dans les interprétations modernes, son existence est niée. C'est la violence fondatrice pourtant qui continue à tout gouverner[1]. »

La théologie, qui est réception, intelligence et transmission de la Parole de Dieu, ne peut échapper à ce débat. La diversité actuelle des éthiques ou des propositions manifeste la complexité dont l'Église est consciente. Plusieurs déclarations récentes témoignent de la difficulté rencontrée lorsqu'il s'agit d'exprimer des points d'accord ou des positions communes sur les points chauds actuels que sont, par exemple, la dissuasion nucléaire, la défense nationale ou la revendication

1. René GIRARD, *La Violence et le Sacré*, Paris, 1972, p. 443.

106

des identités culturelles et politiques. Il faut nous garder au départ de simplifier. L'homme des béatitudes n'est pas nécessairement à classer parmi les « non-violents », pas plus que serait « violent » celui qui franchit la loi par amour de l'homme.

Un point est sûr au départ, dans l'Église et dans sa tradition théologique : la violence, au sens général, supposées toutes les distinctions faites par la psychologie ou l'anthropologie sociale, est interprétée comme un déséquilibre lié à une rupture initiale. Nous rejoignons ici l'idée de « fondation » déjà indiquée. Cela supposerait un rappel indispensable de la conception chrétienne du « péché », effectivement considéré dans sa dimension historique comme un « premier geste » de rupture, et demeurant « transhistoriquement » le signe d'un refus « fondamental » de l'homme. Mieux vaut nous situer immédiatement sur le terrain des conséquences du péché en disant qu'il est une séparation dans une communication initiale d'Amour, déviation d'une unité native en quelque sorte, et qu'il entraîne l'homme dans un mouvement où il se révèle capable d'une puissance inquiétante et démesurée[2].

La théologie scrute le mystère du Christ, dévoilement dans l'histoire de Dieu invisible (Jn 1, 18). Elle va donc mettre l'accent sur ce qui, à partir de l'événement évangélique et à travers la mort/résurrection de Jésus, réintroduira l'homme dans sa véritable origine, celle de l'*Amour*, expression permanente de Dieu, proposé à l'homme comme nouveau type de rapport, dans un monde où la violence et la mort demeurent à tous les niveaux.

Notre recherche doit intégrer un ensemble de données modifiant la physionomie d'un monde que l'on reconnaît comme étant de plus en plus rapidement marqué

2. G. von Rad, *Théologie de l'A.T.*, Genève, t. I, p. 143.

par les conflits : relation plus serrée et plus habituelle entre la violence et mort de l'autre ; déploiement et volonté d'efficacité dans l'ordre des moyens utilisés ; normalisation des conflits ouverts et du premier usage de la force ou de l'arme dans les situations de tension. Un certain nombre de justifications des rapports de forces acceptés par les Églises peuvent sembler fragiles et sont même récusés dans tel ou tel cas. Le débat pourtant classique sur la guerre juste est soupçonné. Même la paix peut n'être qu'une ultime ruse de la raison et « reste marquée d'une disgrâce qui n'est autre que celle du monde violent[3] ».

Nous devons tenir compte de ces éléments au moment où nous allons relire dans l'Évangile, vivant aujourd'hui par le Ressuscité, les raisons de nous situer, *non point seulement* dans une attitude de refus ou d'opposition aux enchaînements de la violence, *mais*, comme Jésus, dans une attitude dynamique de paix et d'Amour. La « douceur et l'humilité du cœur » n'étant pas la face cachée de la démission, mais le signe de la *force* évangélique prenant sens dans la vie et la mort de Jésus.

II. LA RÉFÉRENCE AU TÉMOIGNAGE DE JÉSUS

Le titre de cette contribution : « La force de l'amour », veut très consciemment exprimer ce qui me semble être l'axe décisif du témoignage de Jésus tel que les synoptiques et Jean l'expriment dans leur diversité. Une étude détaillée du vocabulaire en rapport avec les situations évoquées et l'enseignement de Jésus permet d'avancer la thèse suivante : Jésus a manifesté par sa vie

3. Ph. SECRETAN, *Communio*, t. 5, *La violence et l'esprit*, n° 2, p. 17.

l'ambiguïté de la violence et le primat absolu de l'Amour[4].

Ambiguïté de la violence : peut-on parler d'une « violence » de Jésus à certains moments essentiels ? Le mot lui-même apparaît alors dans son interprétation la plus délicate. Comme le rappelle Alain Marchadour dans ce travail, le terme utilisé par le Nouveau Testament est le mot grec *Bia* dont le premier sens est « force » et plus spécifiquement « force vitale ». Ces précisions ne sont pas inutiles. On peut déjà, en effet, prévoir la difficile distinction entre la force vitale dans ses manifestations légitimes et la force violente. Nous y reviendrons dans l'analyse théologique[5].

Jésus est au centre de ce débat. Il vit dans un monde où le contexte politique et religieux est quotidiennement déterminé par la violence guerrière ou du moins ses conséquences inévitables en territoire d'occupation[6]. On peut envisager quatre propositions étayées par les Évangiles : 1° Jésus exerce une force incontestable verbale et d'opposition par rapport aux aspects restrictifs de la loi. 2° Il n'exerce lui-même aucune violence directe sur les personnes mais la condamne plutôt. 3° Il conduit à un processus de conversion, base réelle de la libération, et il prêche l'Amour. 4° Il affronte la violence jusqu'à la mort, faisant de l'Amour un témoignage décisif.

Jésus exprime une force incontestable

Elle est verbale et d'opposition, par rapport aux aspects restrictifs de la Loi. Les invectives contre les Pharisiens (Mc 12, 38-40, Mt 23, 1-36), même dans leur

4. Cf. Concordance du N.T., « Violence », p. 570.
5. Cf. également V.T.B., « Force ».
6. R. Bosc, *Évangile, Violence et Paix*, Paris, 1975.

présentation quelque peu stratégique, sont typiques de la liberté vigoureuse de Jésus lorsqu'il s'agit de la vérité du Royaume et de l'homme. Cela s'explique par la profonde conscience qu'avait Jésus d'être lié de manière décisive à la réalisation du Royaume de Dieu. Le sérieux de cette mission, et surtout le fait qu'il ne s'agit là de rien d'autre que de la volonté de Dieu lui-même feront de Jésus un prophète qu'aucun obstacle légal n'arrêtera[7]. Il protestera vigoureusement contre l'esclavage de l'homme au nom de la loi (Mc 2, 27 ; Mt 5, 21, etc.). Pierre lui-même en fera les frais lorsqu'il se fera traiter de « Satan » pour sembler s'opposer à la volonté de Dieu (Mc 8, 31-33). Le possédé de Capharnaüm donnera à Marc l'occasion de montrer comment, face à une violence déséquilibrante, Jésus par la force qu'il exercera sera reconnu comme manifestant la puissance même de Dieu (Mc 1, 21-28). Il y aura d'ailleurs en cela une dialectique tragique car la violation du sabbat par Jésus au nom de l'homme (Mc 2, 23 s.) retournera la violence contre lui (Mc 3, 6).

« Nous voyons ici une attitude fondamentale de Jésus : liberté face à la loi, mais pour le bien... Le Christ n'est contre rien. Il est pour l'Amour, la spontanéité, la liberté. C'est au nom de cette attitude positive qu'il doit parfois être contre. En paraphrasant Romains 14, 23, nous pouvons dire : tout ce qui ne vient pas de l'amour est péché...[8] »

Jésus n'exerce lui-même
aucune violence directe sur les personnes

Il la condamne plutôt. La célèbre réplique à Pierre, « Tous ceux qui prennent l'épée périront par l'épée »,

---

7. W. KASPER, *Jésus le Christ*, Paris, 1976, p. 101 s.

8. L. BOFF, *Jésus-Christ libérateur*, Paris, 1974, p. 76.

va plus loin qu'une réponse d'école (Mt 26, 52). Le sens général de ce passage est bien que la puissance de Dieu est manifestée selon d'autres voies parmi lesquelles, comme le rappellera Paul aux Corinthiens (1 Co 1, 18-31), la folie de la croix et l'incompréhension immédiate. On peut dire que Jésus conduit sans cesse plus qu'à une opposition à un dépassement, à une intériorisation. Il n'existe jamais à proprement parler de conflit entre lui et la loi, car il sait combien la loi peut être, dans sa dimension la plus positive, un premier obstacle à la violence. Mais il demande un regard plus profond, une transformation intérieure déjà annoncée par Jean-Baptiste lorsque celui-ci répond aux soldats : « Ne faites ni violence ni tort à personne » (Lc 3, 14). Pourquoi ? N'est-ce pas parce que le Royaume est proche, et que rien ne peut y préparer qui soit signe de mort. Au pays des Géraséniens, Jésus enverra le « prince de la violence » dans un troupeau de porcs (Mc 5, 1-20) indiquant ainsi un changement des buts et une libération de l'homme par l'arrachement d'un déséquilibre tellement inévitable qu'il ne peut qu'être déplacé[9].

Ici doit être cité bien sûr l'épisode des vendeurs chassés du Temple, ne serait-ce qu'en raison des interprétations les plus opposées suscitées par ce texte rapporté par les quatre évangiles. Sans entrer ici dans le débat sur la composition des récits[10], trois constats s'imposent reliés par la perspective pascale bien évoquée dans le récit johannique (2, 13-22). 1° Jésus chasse les vendeurs parce qu'ils sont « obstacle » et font d'une certaine façon violence au Temple (notons qu'aucun rapport de forces n'est évoqué entre les personnes). 2° Le renversement des objets (dont il ne faut pas cependant minimiser

9. Alain MARCHADOUR, *Aux risques de la violence*. Cf. chapitre suivant de ce dossier.

10. Voir Synopse Bible de Jérusalem, t. 2, p. 334 s.

la signification violente) permet de re-situer le Temple dans sa finalité, la seule présence de Dieu. 3° Jésus est désormais cette présence, et la situation de ce texte dans l'immédiateté de la passion pour les Synoptiques, et de la Pâque des juifs pour Jean, confirme bien ce que nous évoquions déjà : l'horizon est la mission du Fils que rien ne doit empêcher.

Jésus conduit à un processus de conversion

Il en fait la base réelle de la libération et il prêche l'Amour. Nous sommes placés ici face au message des « béatitudes » qui expriment par leur signification évangélique universelle la transformation de l'homme pour qui le Royaume est déjà présent. L'appel à la pénitence est une réponse logique à la décision et à l'action de Dieu qui précède toute décision et action de l'homme[11]. « Répondre à l'invitation, tout abandonner et suivre l'appel, cela signifie certes renoncement, refus de tout ce sur quoi normalement l'homme veut gagner et maintenir sa vie. Il s'agit bien de renoncer à soi-même, de donner sa vie (Lc 17, 33)... Mais don et sacrifice se font en vue de la vie elle-même[12]. »

Les béatitudes ne sont pas une capitulation de l'homme, ou une « morale d'esclave, de soumission et de peur des interdits », que Nietzsche reproche aux chrétiens d'avoir communiquée « comme une maladie au monde occidental[13] ». Non, bien plus une expression de la force même de Dieu dans l'Histoire, une affirmation que l'impossible devient possible jusque et à travers la croix. Les béatitudes sont réalistes et ne nient point la violence, mais celle-ci ne peut être affrontée que par la

11. G. Bornkamm, *Qui est Jésus de Nazareth ?*, Paris, 1973, p. 97.
12. Cf. Bornkamm, p. 98.
13. Cf. Bosc, p. 31.

conversion du cœur qui conduit peu à peu de la loi à l'Amour. « Tu ne tueras pas » est relayé par « Tu n'insulteras pas » (Mt 21, 22 s.) et par « Aimez-vous comme je vous ai aimés » (Jn 15, 12).

Jésus affronte la violence jusqu'à la mort

Il fait de l'Amour un témoignage décisif. « Comme je vous ai aimés » est ici déterminant. L'exemple de la passion de Jésus et de sa mort devient dans l'intensité croissante du choix final révélateur de l'originalité absolue de sa mission et de son message. La violence entoure le Fils. La parabole des vignerons homicides centrée sur la mort du Fils ne l'exclut même pas comme élément de l'histoire du salut (Mc 12, 1-12). Jésus parlera lui-même des violents qui assaillent le Royaume des Cieux. Les compréhensions diverses de ce passage (Mt 11, 12) se justifient en ce sens que Jésus, jouant consciemment sur les interprétations, indiquera que l'on ne peut dépasser le processus de violence que par l'Amour. Le renversement complet des perspectives se fera dans la passion et la mort. Les silences de Jésus à son procès manifestent la volonté, dans la confiance au Père, de rester le serviteur d'un Royaume dont les armes ne sont même pas du même type et dont rien n'empêchera la réalisation finale (Jn 16, 33). L'attitude de Jésus n'est pas un échec, mais le signe d'une conviction intérieure plus forte que la peur[14]. Jésus reçoit la mort dans le trouble, mais la détermination : « Maintenant mon âme est troublée et que dirai-je ? Père, sauve-moi de cette heure ? Mais c'est précisément pour cette heure que je suis venu » (Jn 12, 27). Du baiser de Judas, du reniement de Pierre, autres formes de violence, à la proximité des larrons (non sans

14. Cf. H. Schuermann, Comment Jésus a-t-il vécu sa mort ? Paris, 1977. X. Léon-Dufour, *Face à la mort de Jésus et Paul*, Paris, 1979.

signification), apparaît la persévérance du juste dans la
voie tracée par le Père : l'Amour.

III. L'EXISTENCE CONFRONTÉE
AU PARADOXE DE LA CROIX

Notre argumentation traduit en s'exprimant la pluralité de sens biblique et néo-testamentaire inévitable si
l'on reçoit l'Écriture comme la Parole de Dieu elle-
même est reçue par l'homme, c'est-à-dire dans un mouvement progressif, hésitant et critique d'intelligence.
Ceci sans altérer en rien la conviction essentielle d'une
expérience vitale de communion avec Dieu dont la
Parole est comprise et déchiffrée au travers d'une histoire « sensée » et marquée par un certain nombre de
constantes. L'Évangile traduit cette compréhension du
mystère de Dieu parvenu, avec Jésus, en son point
culminant, en son point lucide, en son point paradoxal
où Dieu dit à l'homme, dans un langage nouveau et
décisif, quelle est la seule voie qui conduit à la vie.

Il nous faut partir d'un centre auquel nous avons
abouti précédemment et qui est l'événement pascal, la
croix, à laquelle conduit le parcours évangélique, et qui
seule permet de comprendre à la fois l'inévitable de la
violence et la radicalité du témoignage chrétien.

La croix est un langage

Elle est une parole inévitable sur Dieu, elle est Parole
de Dieu. Si la théologie est réception de la Parole de
Dieu qui est fondatrice de l'existence chrétienne, la
« staurologie » est réception de la parole de la croix qui
est fondatrice du véritable sens chrétien[15]. La croix se

15. S. BRETON, *Le Verbe et la Croix*, Paris, 1981.

situe de fait au-delà du débat sur la violence pour apparaître comme une indication d'avenir. Elle manifeste la dimension eschatologique de l'Histoire. Le théologien réformé Georges Casalis a raison de dire :

« Pour l'Écriture, l'important n'est pas la violence ou la non-violence, l'ordre ou le désordre. Ce qui importe, c'est ce qui fait cheminer l'Histoire dans la direction de la Justice, ce qui est utile à l'homme concret, au pauvre, au frustré, au prisonnier[16]. »

La croix, dans son paradoxe, est aboutissement et naissance. Aboutissement d'une attitude : le refus d'entrer dans une dialectique de violence. Mais surtout naissance d'une nouvelle interprétation de la loi que Paul résumera bien en disant aux Romains : « Les commandements : "Tu ne tueras pas", "Tu ne voleras pas", se résument dans cette parole : "Tu aimeras ton prochain comme toi-même." L'Amour ne fait aucun tort à son prochain. L'Amour est le plein accomplissement de la loi » (Rm 13, 9-10).

Paul est le premier véritable interprète du sens théologique de la croix dans le contexte global d'opposition et de violence qui caractérise les premiers temps de l'Église, comme les nôtres. La lettre aux Corinthiens déjà citée (1 Co 1, 18-31) indique bien le dépassement du langage de la raison par celui d'une certaine folie de Dieu, incompréhensible en un premier niveau de réflexion. L'événement du Golgotha et, par lui, tout le christianisme sont désormais situés dans une perspective non « idéologique » mais « théologique », c'est-à-dire comme manifestation décisive de Dieu par le Crucifié et dans le Ressuscité.

Si l'événement pascal est accomplissement, nous ne

---

16. *Dizionario Teologico Interdisciplinare*, Marietti, 1977, art. « Violenza », t. 3.

pouvons plus nous situer en deçà. En deçà de ce qui le précède et en constitue le contenu. En deçà de ses conséquences pour la vie du monde.

La foi est un engagement

Les disciples du Christ ne peuvent aujourd'hui vivre leur foi comme une simple référence culturelle ou comme une solution de sagesse face aux interrogations essentielles d'une humanité en développement incontrôlé. Il s'agit de bien autre chose. L'engagement chrétien relève de la participation même à ce qu'a vécu Jésus-Christ. Les croyants sont « enracinés et fondés en lui » (Col 2, 7) et leur témoignage peut, malgré la difficulté et le péché, donner « la force de comprendre... et de connaître l'Amour du Christ qui surpasse toute connaissance » (Ep 3, 18).

La Résurrection du Christ veut dire maintenant pour les croyants et, par eux, pour le monde : primat de la vie et lutte contre toute forme de mort. Primat de la vie pour nous, respect de la vie, choix d'un nouvel ordre de rapports dans les relations humaines, intégrant certes, par étapes, l'incompréhension ou le refus, mais rendant possible une efficacité à long terme. Les risques sont grands, pas plus cependant qu'ils ne le furent dans la vie du Christ lui-même. Simone Weil disait cette phrase forte : « Celui qui s'arme de l'épée périra par l'épée, celui qui ne s'en arme pas périra sur la croix[17]. »

Être participants de l'action même du Christ aujourd'hui et donc en lui de la volonté créatrice de Dieu, c'est se situer dans la perspective économique du dessein de salut, au cœur d'une histoire particulière, c'est rencontrer les hommes contemporains dans leurs institutions, leurs attentes, leurs conflits. Or l'articula-

17. Cité par A.M. Sicari, *Communio*, p. 43.

tion entre les choix ou les comportements évangéliques et les situations particulières est d'autant moins évidente que d'une part il n'y a pas de choix évangélique en lui-même, déraciné de son contexte et que d'autre part aucune situation particulière ne peut être considérée sans référence à des ensembles parmi lesquels s'inscrit la question fondamentale de la destinée spirituelle de l'homme[18]. Il serait dérisoire de proposer abstraitement une « éthique de l'Amour » pour notre temps sans se rendre compte de la complexité croissante de la collectivité humaine et des dynamismes profonds qui traversent toutes les couches culturelles, sociales et religieuses.

L'Église est une Parole

Cependant l'Église réaffirme son droit à parler d'une libération de l'homme en raison du *rôle* tenu par le Christ et dans la force de sa Parole et de son Geste. Cette économie de libération ne peut échapper au processus des libérations, mais ne s'y résout point. Elle doit éviter de tomber elle-même dans ce que le théologien allemand Jürgen Moltmann appelle les « cercles infernaux de la mort » : pauvreté, violence, aliénation raciste et culturelle, destruction de la nature, absurdité et abandon par Dieu[19]. Et il ajoute : « Pour une théologie de la libération, il faut comprendre l'universel dans le concret, et l'eschatologique dans l'historique. »

Le débat récent, et en cours pour un bon nombre d'années, sur la dissuasion nucléaire donne l'occasion, dans un contexte rendu délicat par l'efficacité accrue des moyens de destruction, de redéfinir la question de la paix par rapport à la mission fondamentale de l'Église et à sa fonction eschatologique. La lettre importante de

18. K. RAHNER, *Traité fondamental de la foi*, Paris, 1983, p. 448 s.
19. J. MOLTMANN, *Le Dieu crucifié*, Paris, 1974, p. 370 s.

l'épiscopat américain sur le « défi de la paix » l'indique et contribue, par une réflexion lucide et théologiquement fondée, à éclairer notre recherche sur ce point.

« La contribution propre de l'Église découle de sa nature religieuse et de son ministère. L'Église est appelée à être, de manière unique, l'instrument du Royaume de Dieu dans le monde... Les chrétiens sont appelés à vivre la tension entre la vision du Règne de Dieu et sa réalisation concrète dans l'Histoire... La grâce du Christ est à l'œuvre dans le monde : son commandement d'Amour et son appel à la réconciliation ne sont pas des idéaux qui ont trait à l'avenir, mais nous appellent dès aujourd'hui à l'obéissance[20]. »

L'autre document d'égale importance publié par les évêques allemands : « La Justice construit la paix », met également l'accent sur la mission spécifique de l'Église face au mystère de la croix et à sa responsabilité universelle : « L'Église de Jésus-Christ est invitée à continuer à témoigner de cette œuvre de paix de son Seigneur et, dans l'espérance contre toute espérance, à en faire sa propre cause[21]. »

La toute récente prise de position de l'épiscopat français (après que fut écrit cet article), et suscitant les débats que l'on sait, insiste, malgré le risque réfléchi qui est pris, en acceptant la légitimité de la dissuasion ou de l'attitude défensive, sur une recherche de la paix rendue plus difficile par la tension actuelle et ne pouvant être réduite à des choix rapides et exclusifs : « Bien des points restent à élucider, bien des pistes restent à explorer, bien des champs restent ouverts où de légitimes divergences peuvent et doivent s'affronter : un dialogue

20. Doc. cathol., 1856, p. 715 s.
21. Doc. cathol., 1853, p. 568 s.

loyal est un chemin de paix, et il peut ouvrir au pardon et à la réconciliation[22]. »

Le primat de l'Amour et de la paix et la recherche première de la Justice, condition essentielle de la lutte contre toute violence, tout cela relève bien de l'ordre eschatologique, et, par la croix de Jésus, devient anticipation de la communion avec Dieu à laquelle tout homme est appelé depuis le premier jour.

L'Église, quoique soumise elle-même à la violence et n'échappant pas, dans sa propre institution, aux risques d'un « pouvoir » en contraste avec le fond de sa mission, comme le rappelle Jean Rigal ici même, l'Église est avant tout et de manière incontournable sacrement de communion. Elle l'est par sa nature même, « signe et moyen de l'union intime avec Dieu et de l'unité de tout le genre humain[23] ». Elle doit donc rendre l'Évangile présent dans ses axes les plus forts. Les points d'appui des documents essentiels du magistère ou des Églises chrétiennes témoignent de ce souci renouvelé depuis plusieurs décennies au cours desquelles la vie humaine s'est trouvée de plus en plus menacée. Depuis les trois conditions mises par saint Thomas à la « guerre juste », bien des pas ont été faits, et les Églises sont placées face à une alternative où elles prennent conscience de ce qu'elles sont seules à pouvoir apporter : une conception et une réalisation de la paix qui dépasse les contours mouvants de la paix que les hommes s'infligent plus qu'ils ne se la donnent[24].

La paix et l'Amour sont un registre possible pour l'homme. Le Christ est vivant pour des millions de croyants qui se mobilisent au nom de l'Évangile pour que, selon les propres termes de la conférence épiscopale

22. Cf. *La Croix*, 10 novembre 1983.

23. Vatican II, L.G., introduction.

24. R. Coste, *L'Église et la Paix*, Paris, 1979.

de Saint-Domingue, « la profanation de l'homme cesse d'être une constante dans notre société[25] ».

Pour résumer ce second point, nous pourrions envisager quatre conséquences qui me sembleraient dans la logique de la foi chrétienne :

— aucun témoignage d'Église ne peut être donné sans référence explicite à la Mort/Résurrection de Jésus et à son sens eschatologique, renversant le simple choix : violence/non-violence ;

— il apparaît nécessaire de dépasser le stade de l'immédiateté historique et de croire à long terme à la persévérance des moyens pacifiques ;

— la conversion du cœur et l'amour de l'autre sont une priorité, même dans les tensions les plus graves. En ce sens, la réconciliation doit être un souci premier comme doit être ferme le refus de donner la mort ou d'y collaborer ;

— les moyens doivent exister de s'opposer nettement, mais sans entrer dans le mouvement incontrôlé de la violence, à tout ce qui, aux différents niveaux d'organisation de la vie personnelle ou sociale, représente un danger pour l'homme et sa liberté.

Cela suppose la capacité lucide de débusquer dans notre propre vie et celle de nos Églises ce qui est obstacle à un tel témoignage, et la volonté de refuser une certaine normalité de la violence et de ses conséquences (suspicion, désagrégation de la confiance, démission) dans les lieux et temps habituels de communication et d'échange.

25. Doc. cathol., 1810, p. 603.

IV. PAR AMOUR DE L'HOMME

Il faut poser une question et qui n'est pas des moindres. La brève réflexion que nous venons de faire concerne-t-elle les chrétiens seulement en raison du lien vital entre leur foi et l'Évangile, ou bien peut-elle être, au moins dans certaines conséquences essentielles, une proposition prenant place sérieusement au rang des appels lancés au monde présent par ceux qui mesurent les enjeux des années à venir ? Lorsqu'on ne parle plus explicitement d'« Histoire du salut », ne peut-on pas parler avec urgence du salut de l'homme dans l'Histoire et d'une prise de conscience planétaire qui seule, justifiant des moyens courageux et efficaces, permettra d'éviter des situations dramatiques ou le franchissement de seuils fatidiques ?

« La foi en la paix, elle n'est possible, elle n'est justifiable, ne l'oublions pas, que sur une terre où domine la foi en l'avenir, la foi en l'homme[26]. » Ce rappel de Teilhard est bien significatif aujourd'hui du souci de l'Église dont toutes les routes conduisent à l'homme, à chaque homme auquel est uni le Christ[27]. La mission de l'Église acquiert en permanence une dimension universelle, elle est un service de l'humanité en raison de sa source et de ses buts. Le christianisme est aujourd'hui porteur d'une parole de paix qui ne peut rester limitée à des horizons immédiats ni demeurer l'exclusivité des croyants. « C'est uniquement en participant lui-même à la naissance d'une société mondiale que le christianisme pourra mettre en œuvre sa conception d'une solidarité libérée de la haine et de la violence[28]. »

26. P. TEILHARD, *Œuvres complètes*, t. 5, Paris, Seuil, p. 196.

27. JEAN-PAUL II, *Redemptor Hominis*, n° 13.

28. J.B. METZ, *La Foi dans l'Histoire et dans la société*, Paris, 1979, p. 264.

Nous avons parlé théologiquement, c'est-à-dire situés au cœur de la foi et de la Parole de Dieu en Jésus-Christ. Mais la mission de l'Église a une prétention universelle parce qu'il s'agit de l'homme, image de Dieu. Je ne puis trouver de meilleur commentaire final que ce témoignage d'un chrétien dont la vie adhéra tellement à l'Évangile, dans le combat contre la violence, au nom des pauvres, qu'il franchit lui aussi la mort violente comme son Maître. Ces paroles résonnent d'autant plus fort qu'elles lui valurent d'être exécuté dès le lendemain... Il s'appelait Oscar Romero, évêque de San Salvador[29].

« Frères, vous êtes du même peuple que nous, vous tuez vos frères paysans. Un soldat n'est pas obligé d'obéir à un ordre qui va contre la loi de Dieu... L'Église qui défend les droits de Dieu, la loi de Dieu, la dignité humaine, la personne, l'Église ne peut se taire. L'Église prêche la libération, une libération qui concerne par-dessus tout le respect et la dignité de la personne, la sauvegarde du bien commun du peuple et la transcendance qui se tourne vers Dieu d'abord et puise en Dieu son espérance et sa force... »

N'y a-t-il pas là un cri d'Amour pour l'Homme ?

---

29. Oscar ROMERO, *Assassiné avec les pauvres*, Cerf, Paris, 1981, p. 231.

Chapitre VIII

AUX RISQUES DE LA VIOLENCE
Lecture de Marc 5, 1-20
par Alain MARCHADOUR

Les textes évangéliques supportent plusieurs lectures. Peut-on dire que c'est la marque des grands textes que d'être disponibles pour des lectures ? On peut le penser quand on prend la mesure de toutes les interprétations qui sont nées des Écritures, souvent provisoires, souvent fécondes pour un temps. Nous qui sommes parfois tentés de sourire de certaines interprétations de nos prédécesseurs, nous devrions toujours nous souvenir qu'il n'est de lecture que située, qu'il n'est d'actualisation que provisoire et passagère.

Ainsi aujourd'hui nous sommes, peut-être plus que nos prédécesseurs, sensibilisés à la réalité de la violence. Nous sommes parmi les derniers témoins d'un siècle qui a engendré de la violence qui doit dépasser en quantité et, si j'ose dire, en qualité tout ce que l'histoire de l'humanité a pu produire : guerre en Europe en 1914-1918, en 1939-1945, guerres interminables de libération des peuples colonisés, et guerres postcoloniales ; il suffit d'égrener des mots comme Viêt-nam, Algérie, Biafra, Cambodge, Afghanistan, Iran, Irak, Palestine ; génocide de populations entières comme celle des juifs de l'holocauste, des Arméniens, etc. Bref, la violence a pris des formes démesurées et quotidiennes au point que surgit la question lancinante : les hommes sont-ils des loups les uns pour les autres ? Les sociétés sont-elles condamnées à ces massacres toujours recommencés qui joueraient le rôle de purge, d'élimination du trop-plein de violence pour que la vie puisse poursuivre son cours ?

Quel éclairage peut-on attendre de la Bible face à une telle question ? N'y a-t-il pas dans les Écritures, et tout particulièrement dans les Évangiles, des textes phares assez puissants pour rejoindre les ténèbres de la violence et ouvrir un chemin de vie contre les tentations des chemins de mort ?

La traversée de la violence

Un épisode de l'Évangile s'impose à moi face à cette question : celui de la rencontre entre Jésus et un homme habité par la violence dans un pays étrange peuplé de morts et d'animaux, pays que l'on ne peut rejoindre qu'en prenant le risque de franchir une mer redoutable et mortifère. « *Le soir venu*, Jésus leur dit *"Passons sur l'autre rive"* : le soir tombe pour laisser place à la nuit, le temps des ténèbres. » Jésus et ses disciples sont, comme les juifs, des terriens, pour qui la mer, au lieu d'être un espace à franchir et à conquérir, est une limite qui ne se franchit qu'en cas de nécessité. Par ailleurs, pour le juif, ce passage sur l'autre rive est bien plus qu'un déplacement géographique relativement court ; c'est le franchissement d'une frontière, le passage d'un univers familier, proche et rassurant, vers un autre monde, inquiétant, différent.

Ces connotations sont confirmées par le caractère dramatique de la traversée : « Les vagues se jetaient sur la barque au point que déjà la barque se remplissait. » La nuit tombante, la perte des points de repère, et comme si cela ne suffisait pas, une tempête, un tourbillon de vent : *en un mot, la violence* des eaux redoutables qui résonnent comme des signes de mort : « Maître, cela ne te fait rien que nous périssions ? » Et déjà ici opposé à cette violence par son attitude, Jésus : « Et lui à l'arrière, sur le coussin, dormait. » Opposition d'attitude qui se transforme en affrontement entre la mer déchaînée et Jésus, « réveillé, il menaça le vent et dit à la mer : ''Silence, tais-toi.'' Le vent tomba et il se fit un grand calme »... Cette personnification des vents et de la mer montre bien qu'il s'agit ici d'autre chose que d'une simple agitation des eaux. La violence, qui a pris des formes cosmiques, a trouvé son maître... A la violence succède le calme ; ce calme est provisoire ; c'est le temps mort du récit, le temps de grâce où l'affrontement entre Jésus et la violence tourne à l'avantage de Jésus. La preuve que ce calme n'est que provisoire, c'est que le récit évangélique se poursuit, générateur de nouveaux conflits, de nouvelles violences ; si l'intrigue s'achevait là, l'Évangile se terminerait...

Déjà à ce stade du récit, une question demeure dans l'esprit des disciples : « Qui est-il donc que même le vent et la mer lui obéissent ? »

La violence à l'état pur

L'accumulation des traits dramatiques déjà dans la traversée de la mer fait du voyage une sorte d'épreuve de qualification pour pouvoir affronter un adversaire autrement plus redoutable. En termes narratifs, on dira que le triomphe de l'obstacle « mer » institue Jésus comme le héros capable d'affronter la violence qui se manifeste dans l'homme possédé.

Peut-on imaginer rencontre de contraires plus opposés ? D'un côté, quelqu'un qui s'avance dans la faiblesse, armé de son seul nom « Jésus » ; de l'autre, un être étrange, possédé d'un esprit impur, vivant dans les tombeaux, impossible à enchaîner « personne ne pouvait plus le lier, même avec des chaînes », déshumanisé au point de n'avoir plus comme langage que des cris, proche de l'animalité, ces animaux qui vont jouer un rôle dans son salut, habité par une violence destructrice qui le conduit « à se déchirer avec des pierres »... Comme si cela ne suffisait pas, cet homme est divisé en lui-même, vénérant Jésus par son geste de se prosterner devant lui et le rejetant par sa parole : « De quoi te mêles-tu, Jésus fils du Dieu Très Haut ? » Faut-il dire, avec de Certeau : « Le geste parle, la parole ment », ou l'inverse : qu'importe ! En réalité, on ne sait jamais qui parle : « Je est un autre » ; est-ce l'homme possédé, est-ce l'autre qui le possède ? Déchirement qui se traduit jusque dans la violence grammaticale passant sans crier gare du singulier au pluriel : « Mon nom est légion, car nous sommes nombreux, et il *le* suppliait avec insistance de ne pas *les* envoyer hors du pays. »

C'est donc bien la violence à l'état pur qui est mise en scène dans la personne de cet homme. Et cette violence théâtrale a la caractéristique de se concentrer sur un seul homme. Dans le récit précédent, il y avait deux acteurs : Jésus et la mer qui s'affrontaient dans un combat dont les disciples étaient témoins et aussi destinataires. Ici il en est de même : lorsque Jésus aborde le pays des tombeaux, en pleine nuit, Jésus descend seul ; les disciples mentionnés plus haut disparaissent, renvoyés à leur rôle de témoins et de destinataires.

L'affrontement

L'affrontement entre Jésus et le possédé se déroule dans un affrontement verbal. Ce qui est en jeu, c'est le pouvoir ; sous l'autorité de la parole de Jésus, les eaux de mort sont redevenues eaux de vie. La violence a été vaincue. Ici ce qui est en cause, c'est la violence accumulée en cet homme à travers ce démon « légion »...

Cette violence va sortir de cet homme, ce qui authentifie la puissance de Jésus ; mais elle va transiter par deux lieux qui ont sans doute une signification symbolique. Le premier, ce sont ces porcs qui jouent le rôle du bouc émissaire, c'est-à-dire de cet animal que l'on chargeait de la violence des hommes (pour les en décharger) et que l'on envoyait ensuite au désert... Le porc peut avoir plusieurs fonctions ici : il peut signifier que l'esprit impur est tout naturellement envoyé par Jésus dans des animaux impurs par excellence ; il peut aussi garder une trace de la pratique des hommes qui se souviennent qu'une des premières façons de conjurer la violence entre les hommes a été d'abandonner les sacrifices humains et de choisir des animaux pour porter et conjurer la violence humaine.

Mais le passage par les animaux n'est qu'un transit : ceux-ci se précipitent dans la mer : il y en avait environ deux mille, et ils se noyaient dans la mer... Ne peut-on voir ici un lien avec le récit qui précède ?... La mer violente a été apaisée ; et voici que cette même mer recueille toute cette violence dont les hommes ne pouvaient venir à bout, qu'ils ne pouvaient enchaîner ; enchaîné-déchaîné : le cycle peut donc reprendre, la mer reste ce qu'elle est en réalité, un univers de violence en puissance, un univers de mort. L'histoire là encore peut s'achever ; la terre est libérée de la violence, l'homme est dans son bon sens : tout est bien qui finit bien. Mais la suite du récit montre qu'on ne vient pas si facilement à bout de la violence, et que celle-ci reste toujours possible là où il y a des hommes.

Le coup de théâtre

Effectivement lorsque les porcs se sont engloutis dans la mer, la grande agitation qui avait traversé tout le récit prend fin. Il est frappant de constater que du verset 2 au verset 14, le récit est marqué par une violence qui tient à la situation du possédé, à la violence verbale de l'affrontement, aux verbes de mouvement qui impriment au récit des déplacements successifs qui sont très marquants : « il courut... envoie-nous dans les porcs... que nous entrions en eux... ils sortirent, entrèrent... se précipitèrent... prirent la fuite, les gens vinrent voir... »

Et puis apparaît le temps de grâce du récit, le temps où tout serait possible. Tous s'immobilisent, la violence est conjurée ; une fois encore Jésus est venu à bout de la violence, d'abord à travers les éléments déchaînés de la nature, ensuite à travers cette violence plus humaine, plus sociale, qui s'incarne en cet homme.

Le coup de théâtre, qui est la marque de la liberté humaine, c'est que le miracle apparaît comme une révélation, comme révélateur d'autre chose qui était masqué, et qui se servait de l'aveugle pour masquer la violence qui est partout. En effet, alors qu'on l'on pouvait croire que toute la violence avait disparu, voici qu'elle resurgit à travers l'opposition des habitants du pays. La même expression, qui servait au possédé à tenir Jésus loin de Jésus, reparaît dans la bouche des habitants du pays : « Ils se mirent à supplier Jésus de s'éloigner de leur territoire »...

On peut dès lors aller plus loin et tenter de décrypter ce qui se cachait derrière ce récit de miracle. Le *possédé* était un rejeté de la part de ses compatriotes : vivant parmi les morts, considéré comme un fou, et presque un mort sans attache avec ce qui fait la vie (vêtement, parole, vie, maison, famille) ; voici qu'il est restauré dans tout ce qui lui manquait. Il retrouve le bon sens, l'unité, l'insertion sociale, la parole, et quelle parole puisqu'il s'agit de la parole même de Jésus, la Bonne Nouvelle. Mais du coup Jésus s'est comporté en perturbateur ; il a franchi des limites qui ne doivent pas être franchies, et qui veulent que les morts soient avec les morts, les fous avec les fous, les violents avec les violents, et que tout cela permette à la société de poursuivre son aventure. Le possédé joue ici le rôle de bouc émissaire de la violence déguisée de tous. Lui enlevant ce qui faisait sa raison d'être, Jésus démasque la violence et se fait exclure à son tour.

Est-ce à dire que l'aventure du perturbateur est achevée ? Précisément non, dans la mesure où Jésus laisse sur place quelqu'un qui poursuit l'œuvre commencée, qui inaugure une aventure de la Parole dont il ne nous est rien dit, mais dont on peut penser qu'elle rencontrera les mêmes résistances que l'action de Jésus...

Jésus venu rejoindre quelqu'un s'en retourne sans résister : il s'efface. On peut aussi lire tout ce récit comme une sorte de parabole de l'incarnation. Jésus, qui était du côté de Dieu, a accepté de quitter la tranquillité du monde céleste pour s'en venir prendre part à l'aventure humaine avec toutes ses complexités et ses ambiguïtés. Sur son chemin, il rencontre la violence qui s'est insérée aussi bien dans l'univers que dans le cœur des hommes. Par son action, il remet en question l'ordre que les hommes se sont donné ; il propose un nouvel ordre où la personne prend toujours le premier pas devant l'ordre économique (comme peut-être ici pour ce qui concerne les porcs perdus par les commerçants). Mais rien n'est perdu : lorsqu'il s'en repart, victime à son tour de l'expulsion, il laisse en place des possédés guéris, des croyants décidés à dénoncer partout les ambiguïtés de la violence et la nécessité de la réconciliation entre les hommes quel que soit le prix qu'il faudra payer.

Chapitre IX

SAINT FRANÇOIS DE SALES ET LA « DOUCE VIOLENCE »
par Clément NASTORG*

La « douceur salésienne » est un lieu commun. On peut s'en extasier ou la dénigrer, comme le faisait Léon Bloy qui la traitait de « séraphique pommade ». Peut-être l'imaginait-il aux couleurs rose et bleu de l'imagerie saint-sulpicienne de son temps. Il eût mieux fait, pour lui et pour nous, de la situer un peu mieux dans le contexte de l'époque afin d'en faire apparaître l'éventuelle originalité : une originalité de circonstance, en fonction des mentalités et des événements, mais aussi universelle, jaillie de la rencontre entre la forte volonté d'un homme et la grâce de Dieu.

I. UN MONDE CRUEL, INQUIET ET PASSIONNÉ

Faute de mémoire, il n'est pas rare d'entendre proclamer que l'insécurité n'a jamais été plus grande que de

---

* Historien, faculté de théologie, Institut catholique de Toulouse.

nos jours. Que dire alors du XVIᵉ et du XVIIᵉ siècles en
Europe, en France et en Savoie?

Les violences individuelles, sous la forme de la délin-
quance et de la criminalité la plus lourde, y foisonnent,
si l'on en croit les témoignages littéraires et les sources
judiciaires de l'époque. L'approche chiffrée reste difficile, mais le constat de François de Sales (1567-1622)
s'impose : « Tant de gens faillent, tuent, assassinent[1]. »
Ses biographes ou sa correspondance évoquent maintes
fois les rixes, « bastonnades », vols, enlèvements, injures, menaces, brimades et débordements de toutes
sortes[2].

Les groupes sociaux partagent les mêmes mœurs. Les
guerres et leur cortège d'atrocités ne cessent pratiquement jamais, entrecoupées d'émeutes, de jaqueries ou de
séditions. Sur les terres de l'évêque, le village de Seyssel
se mutine en 1615, pensant que « la force lui serait plus
favorable que la justice » (XVI, 333-335). Les querelles
familiales ou villageoises sont légion, sanglantes ou seulement bruyantes, comme les « sérénades » ou chariva-
ris (Laj. II, 110). Quant aux duels, ils restent, pour la
classe aristocratique, le meilleur moyen de faire respecter l'honneur, le droit ou la cause. On peut y voir, tel
jour, plus de cent gentilshommes prêts à s'entre-tuer
(Laj. II, 129). Viennent encore les procès, la partie la
moins violente des relations civiles, mais nul n'y
échappe : noble, bourgeois, homme d'Église ou menu
peuple. Saint François de Sales a dû en soutenir beaucoup, et le bienheureux Alain de Solminihac († 1656)
passait, aux yeux de saint Vincent de Paul, pour fort
procédurier.

1. *Œuvres de saint François de Sales,* Correspondance, édition
d'Annecy, t. XI à XXI. Ici : t. XVI, p. 320.

2. E. J. LAJEUNIE, *Saint François de Sales*, Paris, Guy Victor, 1966,
2 vol. Cité désormais : Laj. II (tome), 110 (page). Ici : t. II, p. 110.

Les violences pour motif religieux ont déjà une tradition séculaire, mais l'ardeur ne s'en est pas ralentie au
XVIIᵉ siècle en Europe et en Savoie. Le sérieux de la foi
pousse jusqu'à la mort : martyre pour le croyant, sanc-
tion pour l'hérétique. Saint Ignace témoigne de cet
esprit, lui qui fait écrire, en 1554, à Pierre Canisius :
« Dès que quelqu'un aura été convaincu d'impiété hérétique ou en sera fortement suspect, il n'aura droit à
aucun honneur ni à aucune richesse ; on devrait au
contraire les lui arracher. Si l'on faisait quelques exemples en en condamnant quelques-uns à la mort ou à l'exil
avec confiscation de leurs biens, ce qui montrerait que
l'on prend au sérieux les affaires religieuses, ce remède
en serait d'autant plus efficace[3]. » L'Inquisition, réorga-
nisée en 1542, a mis parfois en pratique ces conseils, et il
est bien connu que les guerres du XVIᵉ et du XVIIᵉ siècles
en France et en Allemagne sont, pour une grande part,
des guerres religieuses. Les théologiens eux-mêmes organisent force colloques ou disputes où l'on passe trop vite
aux cris, aux coups, voire au bûcher. Les Pères du
Concile de Trente ont, dans cet environnement, adopté,
pour proclamer leur foi, des formules abruptes, assor-
ties d'anathèmes, plus propres à contrer les thèses pro-
testantes qu'à amorcer un dialogue.

II. SAINT FRANÇOIS DE SALES,
L'« AUTEUR DE LA PAIX »

Ce climat a sûrement marqué François de Sales ; il n'a
pû s'y soustraire ni l'ignorer tant ses fonctions épisco-

3. G. DUMEIGE, *Lettres de saint Ignace*, Desclée, Paris, 1959,
p. 372.

pales le mettaient au premier rang des responsables civils et religieux.

Le coefficient personnel

Si l'on en croit le témoignage de ses biographes et plusieurs allusions de sa correspondance, c'est d'abord en lui-même qu'il a dû combattre la violence, et c'est en maîtrisant sa propre agressivité qu'il a remporté une première victoire. Souvent la colère bouillonnait dans son cerveau « comme l'eau dans un pot sur le feu » ; son visage, dans telle ou telle contrariété, devenait « rubicond » et on le voyait « avaler sa salive », demeurer « un peu sans parler » puis commencer « doucement à sourire ». Jusqu'à la fin de sa vie (1619), il était parfois contraint « de prendre sa colère au collet » (Laj. II, 118-119).

Il parvint ainsi à supporter avec un certain humour nombre d'insolences, d'injures ou de pasquinades dont on le gratifiait, comme cette « sérénade » en plein hiver : « Laissez, laissez, disait-il à ses gens bouillant d'en découdre avec les importuns, ils endurent plus que nous, car à tout le moins, nous sommes ici à chaud et à couvert » (Laj. II, 112). Il écrit en 1617 : « J'ai ri... quand j'ai vu... que l'on vous avait dit que je m'étais mis en grande cholère... Je suis un chétif homme sujet à passion ; mais, par la grâce de Dieu, depuis que je suis berger, je ne dis jamais parole passionnée de cholère à mes brebis... Je fus ému, à la vérité, mais je retins toute mon émotion » (XVIII, 6).

Cette agressivité maîtrisée est déjà remarquable, mais elle ne l'empêche pas de mettre en œuvre d'autres moyens. Il sait l'importance du contact personnel, et il le souhaite avec ceux qui l'ont insulté ou calomnié, comme cette misérable Belot, mondaine peu rangée, qu'il voudrait aborder « un peu doucement et amoureusement » (XVI, 155). Dans ce domaine, il fait preuve d'un pouvoir de séduction étonnant. « Depuis que je suis de retour, écrit-il en 1607, j'ai tant été pressé et empressé à faire des appointements que mon logis était tout plein de plaideurs qui, par la grâce de Dieu, pour la plupart s'en retournaient en paix et repos » (XIII, 264).

Avec cela, il a le sens du geste qui fait accepter le pardon : on le voit visiter en prison un de ses insulteurs (Laj. II, 103), inviter « à collation » l'instigateur de la mutinerie de Seyssel (Laj. II, 110), profiter d'une rencontre « de fortune » pour embrasser « fort amoureusement » un gentilhomme de ses ennemis, lequel s'en trouva plus bouleversé que « d'avoir ouï cent prédicateurs » (Laj. II, 112).

Face à toutes ces provocations, ces « déraisons », fruits de l'humeur du temps et de la passion des hommes, il sait garder, le plus souvent, mesure et bon sens, lucidité et imagination, comme le reconnaissent ses contemporains : « Il avait un solide jugement pour comprendre les affaires, une subtilité d'esprit pour trouver des expédients à rompre les difficultés... une patience singulière pour entendre et supporter bien souvent les déraisons et impertinences des parties » (Laj. II, 122).

Le respect de l'ordre établi

Dans l'exercice de ses responsabilités publiques, François de Sales se laisse guider par quelques critères simples mais efficaces, sinon classiques : le sens du droit et le respect de l'ordre établi. La première de ces règles, il la doit à sa formation d'humaniste à Paris, puis de juriste à Padoue. Il ne veut céder ni aux rapports de forces, ni à l'autorité morale ou sociale des personnes, ni même à leur bonne foi. C'est la preuve qu'il désire, preuve que l'on ne peut obtenir que par confrontation des parties. « Nulle sorte de parole qui soit au préjudice du prochain ne doit être crue avant qu'elle soit prouvée, et elle ne peut être prouvée que par l'examen, parties ouïes... Et que les accusateurs soient tant dignes de foi que l'on voudra, mais si faut-il admettre les accusés à se défendre » (XVI, 319). En second lieu, il s'est voulu d'une totale loyauté à l'égard de l'autorité légale. A une époque où la fidélité politique est aussi difficile à discerner qu'à pratiquer, il a toujours protesté d'être le « parfait serviteur de la maison de Savoie ». « Non seulement je n'ay point fait de ménage contre le service de votre Altesse (ce qui ne m'est jamais arrivé ni ne m'arrivera jamais, ni en effet, ni en pensée), écrit-il en 1611, mais, au contraire, autant que la discrétion et le respect que je dois à ma qualité me le permettent, j'ai observé tout ce que j'estimais être considérable pour le service de votre Altesse » (XV, 66)...

Le sens des personnes

A-t-il entrevu quelques-unes des causes morales, sociales ou économiques de cet état d'inquiétude et d'agressivité ? Il est vrai qu'il a multiplié les gestes individuels de pardon, d'intercession, d'assistance, de réhabilitation à l'égard des violents et des délinquants de son entourage. Les biographes ne tarissent pas d'exemples à ce sujet, marqués qu'ils sont par l'hagiographie traditionnelle (Laj. II, 129-131). Restent toutefois les redoutables problèmes de la paix sociale, en particulier dans un monde d'ordre où la hiérarchie sociale tend à masquer tout autre valeur. Il est heureux de voir François de Sales faire preuve d'un sens et d'un respect des personnes qui débordent les individus de son propre milieu pour s'étendre aux petits de ce monde, ses humbles sujets des montagnes. « Les petites veuves, les petites villageoises, comme basses vallées, sont si fertiles, et les évêques, si hautement élevés en l'Église de

Dieu, sont tout glacés ! » s'exclame-t-il en 1606 ; ou encore : « J'ai même rencontré (Dieu), tout plein de douceur et de suavité parmi nos plus hautes et âpres montagnes, où beaucoup de simples âmes le chérissaient et adoraient en toute vérité et sincérité... » (XIII, 199 et 223). Parvenu à l'estime, le premier pas était fait pour l'écoute et la compréhension, et donc pour la paix.

Son aversion pour les procès s'appuie, chez François de Sales, sur l'attitude du Christ dans l'Évangile. C'est le motif qu'il avance sans cesse : « Le Seigneur plaida-t-il jamais ?... On lui fit mille torts ; quel procès en eût-il jamais ? » (Laj. II, 124). Mais les procès coûtent cher, et il n'ignore pas qu'il vit dans un monde où presque tous sont pauvres, même les nobles, ce qui donne aux habitants du Chablais la réputation d'être « un peu mauvais payeurs » (XIV, 329). Il peut estimer qu'il est à la fois chrétien et de bonne économie de payer même ce que l'on ne doit pas, « pourvu que la somme ne soit pas fort importante » (XIV, 123), tant il a vu de gens sortir d'un interminable procès vainqueurs et ruinés.

L'esquisse d'une morale sociale

De fait, les questions économiques, morales et religieuses sont étroitement imbriquées. L'analyse que nous en faisons aujourd'hui n'était sans doute pas possible au XVIIᵉ siècle mais une certaine imagination spirituelle pouvait y suppléer. Lorsque François de Sales encourage le duc de Savoie à favoriser l'art de la soie dans ses domaines, il a en vue l'affaiblissement de Genève, la conversion des hérétiques, mais aussi « le soulagement » des habitants (XVII, 66 et 185) ; à d'autres moments, il a soutenu l'introduction de « métiers mécaniques » en Savoie, susceptibles de favoriser l'intégration sociale de nouveaux convertis et d'éviter de les voir errer çà et là, faute de ressources. Le chômage n'est-il pas source de violence, disons-nous aujourd'hui (XIII, 315, original en italien) ?

La « *douce violence* » religieuse

Ce qui ressort avec évidence de l'approche de saint François de Sales, c'est le primat de la question religieuse. Le reste, il ne fait que l'effleurer à l'occasion. En revanche, la sanctification des catholiques et la conversion des hérétiques, voilà qui mobilise toutes ses forces. Nul n'ignore à combien de violences cette passion des âmes peut conduire, en particulier dans les mentalités du temps ; l'œcuménisme, tel que nous l'entendons, n'y est pas pensable ni donc possible. Il ne faut pas s'attendre à trouver chez lui des attitudes d'aujourd'hui. Toutefois, tel que nous le connaissons déjà, on ne sera pas étonné de le voir classique sur les moyens, modéré dans la mise en œuvre et quelquefois inventif.

Il croit aux traités obtenus par la guerre ou la diplomatie. Il faudrait, pense-t-il, que les souverains temporels les fassent appliquer plus vigoureusement (XIV, 201). Pour la circonstance, il croit aux procès destinés à obtenir réparation ou à arracher des biens injustement détenus à ses yeux. Lors de ses missions en Chablais, au début de son ministère (1596-1598), il compte beaucoup sur les prédications, missions, conférences ou colloques. « Quant aux disputes, j'ai la ferme confiance qu'elles apporteront une très grande édification, malgré toutes les raisons qui sembleraient contraires » (XI, 323). Par la suite, il sera plus sensible aux « raisons contraires », mais essaiera le contact personnel, par exemple avec Théodore de Bèze (Laj. I, 301). Ce qu'il souhaite alors (1596), c'est une situation de tolérance surveillée et limitée : « Ces gens (hérétiques) doivent simplement et seulement user de la permission qu'ils ont, sans se mêler d'empêcher ceux qui, par toute raison et par l'exemple de leur souverain Prince, tâchent d'avancer la foi catholique » (XI, 226). Alors que d'autres missionnaires catholiques ne craignent pas l'outrance ou même la violence pour la bonne cause, François de Sales tient à procéder « par voie douce, paisible et assurée » (XIX, 259). C'est au terme de sa route (1620) qu'il s'exprime ainsi, mais, dès 1604, il a mollement soutenu les divers plans élaborés pour enlever Genève ou, du moins, considéré que cela ne relevait pas de sa responsabilité d'évêque (Laj. II, 168). Il n'a donc pas varié dans son esprit depuis 1595, où il se traçait un programme de douce violence. Il faut « inviter (les hérétiques) à prêter l'oreille, entendre, sonder et considérer de près les raisons que les prêcheurs leur proposent pour l'Église catholique... Et ce, en termes qui ressentent la charité et l'autorité d'un très bon prince, comme est Votre Altesse, vers un peuple dévoyé. Ce leur sera, Monseigneur, une douce violence qui les contraindra, ce me semble, de subir le joug de votre saint zèle »... (XI, 170). De son enfance humaniste et de ses débats intérieurs sur la grâce et la liberté, il a toujours conservé une certaine confiance en l'homme, résistant ainsi à une « pastorale de la peur » par trop accentuée. On peut enfin porter à son crédit ce mémoire de 1616 où il préconise des conciles nationaux, relativement autonomes par rapport au Saint-Siège et composés de laïcs, princes ou magistrats et autres responsables, conciles chargés d'apaiser les esprits, de débrouiller l'ensemble des implications civiles, sociales et matérielles, et de préparer ainsi la voie à un dialogue religieux (Laj. II, 178).

Si, à la suite de ces quelques remarques, la perception que l'on peut avoir de la « douceur salésienne » se trouve quelque peu modifiée, ce n'est certes pas dans le sens de la faiblesse, de la lassitude ou du scepticisme, mais bien plutôt dans le sens de l'engagement et de l'obstination. La violence des mœurs n'a pas cessé avec lui, ni sensiblement autour de lui ; la violence religieuse n'en a guère été affaiblie, mais il reste sur le chemin toujours difficile du respect des personnes et du pluralisme, comme on dit aujourd'hui, sinon un exemple et un modèle, car les temps ont changé, du moins une source où retremper et renouveler l'espérance.

Chapitre X

AUJOURD'HUI DANS L'ÉGLISE
par Jean RIGAL*

Ces réflexions n'ont pas pour objectif de faire une présentation systématique des théologies de la violence ou de la non-violence, mais plutôt d'évoquer la manière concrète dont l'Église (essentiellement l'Église catholique) est aujourd'hui affrontée à cette question.

Il ne s'agit bien que d'une évocation, nécessairement incomplète. J'ai fait une sélection dans un foisonnement de textes et de comportements qui m'apparaissent très diversifiés, parfois contradictoires, selon les cultures, les pays, les situations, les personnes... Mais il fallait bien faire un choix. Quatre aspects retiendront notre attention.

* Professeur d'ecclésiologie à la faculté de théologie, Institut catholique de Toulouse.

I. LES DÉCLARATIONS OFFICIELLES

En schématisant, il semble que coexistent dans l'Église deux courants sensiblement divergents : le premier engendre des propos plutôt sereins, voire lénifiants ; le second suscite des interventions de plus en plus incisives sinon provocantes.

Des propos sereins, voire lénifiants

L'Église est accusée, notamment par certains milieux sociaux, de parler d'une manière intemporelle et anodine. On se souvient des réactions suscitées par la déclaration du conseil permanent de l'épiscopat français sur la conjoncture économique et sociale (22 septembre 1982) : « Enfin, un texte qui entre dans le concret de la vie. » Et tel évêque de se réjouir de ce que « ce texte a déjà atteint une partie de son but s'il fait réagir ». Le cardinal Etchegaray, archevêque de Marseille, alors président de la conférence épiscopale française, avouait au début de l'assemblée de Lourdes 1980 : « Nous sommes, par conscience professionnelle, sensibles à la nuance, à la pondération. Il nous faut pourtant entrer allègrement dans la bande des images et la sarabande des flashes qui nous entraînent à proclamer l'Évangile dans la limpidité même des oui et des non[1]. »

Il n'existe pratiquement pas de voyage de Jean-Paul II dans le tiers monde à propos duquel on ne se demande : « Osera-t-il condamner tel régime totalitaire ? » « Approuvera-t-il les évêques qui dénoncent l'injustice ? » « Soutiendra-t-il les théologiens de la libération ? »… Le comité guatémaltèque « Pro Justica y Pas » a mis en garde Jean-Paul II contre l'utilisation

1. *Nouveaux Chemins de la mission*, Centurion, Paris, 1980, p. 19.

142

politique par les autorités locales de son voyage en Amérique centrale au début du mois de mars 1983.

En raison de ce phénomène, certains identifient le « langage épiscopal » à un langage nuancé, feutré, centriste, pacifiste, qui veut tenir compte de tous les aspects d'une question et s'efforce de ne fâcher personne. J'ai encore en mémoire la réflexion d'un chrétien, militant syndicaliste : « L'Église occulte les conflits ; elle se situe au-dessus de la mêlée au nom d'une prétendue neutralité évangélique. Solidaire d'une certaine société, elle lui apporte une caution morale. »

On peut s'employer à rechercher les causes de cette manière de faire et de s'exprimer de l'Église :

— la peur des conflits, un certain pacifisme, un certain sens de l'ordre social, l'idéal évangélique ?

— une conception fixiste et centralisatrice de l'unité, peu respectueuse des diversités, fondée sur l'uniformité ?

— la crainte de représailles contre l'Église, son influence, la liberté d'action de ses membres ?

— la crainte, inversement, d'une collusion avec le pouvoir établi ?

— la peur d'une confusion entre le politique et le religieux, d'une ingérence de l'Église dans la vie politique et les responsabilités du pouvoir civil ? Et peut-être d'autres motivations encore ?...

Resterait à se demander si des propos lénifiants ne sont pas subtilement chargés d'une violence d'autant plus redoutable qu'elle ne dit pas son nom, étant donné qu'elle n'émerge pas à la conscience claire et n'accepte pas une réelle confrontation avec la violence d'autrui.

Des propos subversifs

A l'opposé des précédents, les reproches s'adressent ici à une institution accusée de remettre en cause l'ordre établi, de fomenter la révolution, de tenir des propos marxistes, de sortir de son rôle proprement spirituel « pour faire de la politique ». Ce second courant alimente ses protestations dans l'engagement de certains chrétiens en faveur de la libération des pauvres et de la défense des opprimés comme dans les déclarations de plus en plus incisives et précises du magistère catholique et des différentes instances œcuméniques.

On connaît les multiples appels de l'Église et notamment de Jean-Paul II en faveur des droits de l'homme. Ne déclarait-il pas dans son homélie au palais des expositions de Genève : « La justice et la charité ne sont que du vent si elles n'envisagent pas des gestes concrets envers des hommes concrets » (juin 1982). Le synode de 1971 avait présenté le « combat pour la justice comme une dimension constitutive de la prédication de l'Évangile ».

Au-delà de ces prises de position fondamentales mais générales, certains épiscopats interviennent aujourd'hui très *directement* dans la conjoncture économique et politique. A titre d'exemples, on peut citer, pour la France, la protestation des Églises protestante et catholique devant le commerce des armes (D.C. du 1er août 1982), la condamnation de la stratégie « anti-cités » par la commission « Justice et Paix », et la lettre pastorale de l'épiscopat canadien sur la crise économique (« une lettre guère appréciée du gouvernement », commente le journal *La Croix*). Mais les critiques des évêques se montrent particulièrement acerbes dans certains pays d'Amérique latine, même si elles ne font pas toujours l'unanimité au sein des conférences épiscopales.

Ce qui retient peut-être le plus l'attention, à l'heure actuelle, du moins dans notre monde occidental, ce sont les prises de position épiscopales qui se succèdent, comme en cascade, sur la politique nucléaire. A ce propos, et sans la moindre componction ecclésiastique, les Églises haussent carrément le ton. Mentionnons, pour mémoire, les lettres pastorales ou déclarations des épis-copats allemand, américain, autrichien, belge, français, hollandais, hongrois, irlandais, japonais, suisse...

« Tous les hommes d'État, écrivent les évêques d'Autriche, en guise de préambule, tous les gouverne-ments, toutes les forces politiques, tous les hommes devraient comprendre enfin que le règlement des conflits par voie de *violence* est inhumain. La guerre ne peut plus valoir comme moyen pour atteindre des fins poli-tiques » (20 avril 1983).

Très attendue, la lettre pastorale des évêques améri-cains, publiée le 3 mai 1983, demandant « des accords bilatéraux immédiats et vérifiables pour arrêter les essais, la production et le déploiement de nouveaux systèmes d'armements nucléaires ». Très attendue parce que, dans ce pays où tout se fait au grand jour, les évê-ques ont rendu publics trois projets successifs de ce document. Très attendue aussi parce que l'on savait les pressions irritées de la Maison-Blanche... La dissuasion, à la suite de Jean-Paul II, y est acceptée « à des condi-tions morales très strictes », non « comme une fin en soi, mais comme une étape vers un désarmement pro-gressif ». Quant à la guerre offensive, « de quelque sorte qu'elle soit, elle n'est pas justifiable moralement ». Et dans un sens très positif, la lettre pastorale rappelle que « la construction de la paix n'est pas un engagement facultatif. C'est une exigence de notre foi ».

Le document de l'épiscopat français « Gagner la paix » a été publié à Lourdes, le 8 novembre 1983, au cours de l'assemblée de la conférence épiscopale. Ce texte rejoint les différentes déclarations épiscopales pour condamner, avec la plus grande fermeté, la guerre nucléaire : « Ce serait le suicide de l'humanité... » Il se rallie à la prise de position de Jean-Paul II dans son message à l'ONU de juin 1982, qui admet que la dissua-sion nucléaire est « moralement acceptable » dans les circonstances présentes et à un certain nombre de conditions. On reconnaît le souci de réalisme de ce document, sa lucidité à dénoncer la nature suicidaire de la guerre atomique et plus largement les effets désastreux des guerres « conventionnelles modernes », sa vigueur à souligner le caractère immoral de la stratégie « anti-cités », son rappel insistant de la valeur évangélique de la non-violence.

Et cependant, cette déclaration a suscité diverses réactions défavorables. Certains estiment que les évêques français se montrent moins critiques que les autres conférences épiscopales à l'égard d'une stratégie de dissuasion. On relève aussi la contradiction qu'il y a à soutenir les appels des « non-violents » tout en réservant la non-violence au seul domaine de la vie privée. D'aucuns dénoncent une nouvelle contradiction dans le fait d'affirmer que « la menace n'est pas l'emploi », la menace nucléaire étant « encore » morale, alors que l'emploi de l'arme atomique ne le serait pas. Comment des adversaires pourraient-ils croire à la menace d'une arme dont on affirme qu'elle ne doit jamais être utilisée ! On peut aussi évoquer la déception de certains chrétiens, protestants et catholiques, évêques compris, qui reprochent à cette déclaration de manquer de souffle prophétique. « Au lieu de chercher l'efficience, comme on dit de nos jours, je voudrais, écrit Mgr Gaillot, évêque d'Évreux, que l'Église préfère parler avec cette sorte de folie évangélique, cette folie des béatitudes qui identifie les artisans de paix et les fils de Dieu[2]... » De plus, et ce n'est pas la moindre critique, on reproche aux évêques de n'avoir pas su associer le peuple chrétien à la réflexion sur cette question si vitale et si actuelle et à la

---

2. Journal *La Croix* du 19 novembre 1983. Les mouvements d'action catholique en monde ouvrier déclarent qu'ils sont « déçus et amers, mais pas résignés ».

rédaction de ce document. C'est dire l'opportunité de l'appel final des évêques : « Bien des points restent à élucider, bien des pistes restent à explorer, bien des champs restent ouverts où de légitimes divergences peuvent et doivent s'affronter. » Puisse cet appel au dialogue être largement entendu !

En effet, il serait regrettable qu'au sein des Églises, ces questions majeures ne soient réfléchies que par les conférences épiscopales ou une minorité de chrétiens. L'urgente nécessité d'explorer les voies de l'attitude non violente traditionnelle dans l'éthique chrétienne[3], appelle un vrai débat public.

II. L'EXERCICE DU POUVOIR

Certains reprochent à l'Église d'être oppressive

La question est déjà posée au niveau de l'autonomie des Églises particulières par rapport au pouvoir du pape et des congrégations romaines. Quelle est la marge d'initiative des Églises locales ? De quelle liberté de pensée et d'action disposent les conférences épiscopales par rapport au pouvoir central de Rome ?

Elle surgit encore à propos des poursuites engagées contre certains théologiens. Nombre de nos contemporains, pas forcément rompus aux subtilités de la recherche théologique, éprouvent pour le moins de la

---

3. Il est opportun de rappeler la prise de position, très nette de Paul VI dans son exhortation sur l'évangélisation : « L'Église ne peut pas accepter la violence... comme chemin de libération, car elle sait que la violence appelle toujours la violence et engendre irrésistiblement de nouvelles formes d'oppression et d'esclavage souvent plus lourdes que celles dont elle prétendait libérer... La violence n'est ni chrétienne ni évangélique » (n° 37).

difficulté à admettre certaines procédures et l'application de sanctions.

On pourrait évoquer bien des conflits de pouvoir entre prêtres et laïcs aux origines diverses...

Dans l'opinion courante, c'est sans doute en rapport avec la morale traditionnelle de l'Église que les réactions se montrent les plus vives, notamment dans le domaine de la sexualité et dans l'attitude prise à l'égard des divorcés remariés. Ce qui manifeste, parmi d'autres signes, que le temps de l'obéissance inconditionnelle est révolu. En ce sens, la première question n'est plus celle de la morale, mais du clivage entre le choix de bien des chrétiens et l'enseignement officiel de l'Église. L'autorité et la fonction enseignante du magistère sont remises en cause, du moins dans leurs modalités d'exercice. Existe-t-il un domaine réservé où la coresponsabilité ecclésiale n'aurait aucune place ?

Étonnante Église qui semble donner une double image d'elle-même : prophétique et courageuse parfois jusqu'à la persécution, au service de l'homme, des hommes, en particulier des plus pauvres et des sans-voix ; oppressive et sévère pour ceux qui s'écartent de la norme ou explorent des voies encore inconnues. Une Église qui s'interroge désormais non seulement sur le respect des droits de l'homme, mais aussi sur le respect des droits du chrétien : pas uniquement sur ses devoirs.

Cette prise de conscience a même provoqué la création d'une « association pour les droits des catholiques dans l'Église » dont le siège international est à Philadelphie, aux États-Unis, et qui suscite divers relais, notamment à Paris pour la France. Cette association précise qu'elle est soucieuse d'« instituer une manière collégiale de comprendre l'Église, dans laquelle les catholiques de toutes conditions partagent les prises de décision et exercent effectivement leurs responsabilités », et de garantir pour chaque catholique « les droits fondamentaux enracinés... dans son baptême ». Aussi invite-t-elle les chrétiens à coopérer à la rédaction d'une « charte des droits des catholiques dans l'Église ».

Au-delà de l'entreprise de cette association et du contenu de la charte qui sera rédigée, ce qui retient notre attention, c'est la signification de cette démarche : une requête venant des catholiques par rapport à leur propre Église et à la reconnaissance de leurs droits de baptisés.

Le pouvoir et la coresponsabilité

Permettez-moi, à ce propos, de citer l'un de mes amis, un laïc de quarante-deux ans, père de famille, professeur de faculté, ayant divers engagements dans l'Église :

« Être tous responsables dans l'Église nous plonge dans l'ambiguïté ! Cette ambiguïté est celle de notre rapport au pouvoir qui est indissociable de la responsabilité.

« Le pouvoir, sans lequel il n'y a pas de responsabilité, n'est pas a priori mauvais. Pour moi, exercer un pouvoir dans le cadre d'une responsabilité, c'est participer à l'œuvre permanente de création. Je pense que c'est en créant que les hommes réalisent, pour une part, leur ressemblance à Dieu...

« Or, quand on parle de coresponsabilité dans l'Église institutionnelle, de partage des responsabilités entre clercs et laïcs, je ressens bien souvent une hypocrisie fondamentale. Il s'agit, quant au fond, de partage du pouvoir, et les clercs y sont bien réticents, ce que je comprends eu égard au besoin légitime de création dont j'ai parlé précédemment. Ils souhaitent une figuration active des laïcs. Ils font appel à leur dévouement. Mais les vraies décisions, qui les prend ? Comment sont-elles prises ?...

« Certes des conseils se réunissent mais sans pouvoir de décision. Lorsque les condamnations tombent, lorsque les questions sont tranchées, du moins celles qui engagent vraiment, ce n'est certes pas dans des conseils comportant laïcs et clercs.

« Cette question du pouvoir n'est pas simple. Mais c'est là que le courage se situe. Ose-t-on poser publiquement ce problème au sein du Peuple de Dieu ? Sans même préjuger de la réponse, la question est-elle seulement posée ? »

L'exercice du pouvoir pourrait bien, en effet, comme le suggère le témoignage ci-dessus, constituer l'un des lieux où surgit, avec le plus d'acuité et de subtilité, la question de la violence dans l'Église. On comprendra qu'il soit impossible, dans ces brèves réflexions, de l'approfondir.

Simplement, ne devrait-on pas rester circonspects par rapport à cette abondante littérature « ecclésiastique » qui semble justifier toutes les formes de pouvoir à partir de la notion de « service » ? Certes, il est indéniable que dans l'Évangile l'exercice du pouvoir trouve sa raison d'être seulement dans une dynamique de service. Jésus, le premier, le rappelle aux Douze qui se livrent à des querelles de préséance (Mt 20, 25-28).

Néanmoins, la notion de service, mal comprise et mal située dans l'exercice global de la coresponsabilité ecclésiale, peut légitimer et renforcer tous les abus de pouvoir, et par là les formes les plus sournoises de la violence. Ceci vaut, bien entendu, pour tous les membres du Peuple de Dieu : ministres ordonnés et laïcs.

Le ministère, en particulier, peut donner prise à ces déviations, dans la mesure où il est exercé d'une manière personnelle et valorisante, notamment lorsque le pouvoir « sacerdotal » est sacralisé, considéré comme une prérogative ou un privilège, comme s'il tenait de lui-même sa raison d'être. En conséquence, le ministre peut faire sentir son pouvoir de domination sur le Peuple de Dieu, alors qu'il s'agit, selon le dynamisme évangélique,

150

d'un pouvoir exercé pour lui et avec lui. L'histoire de l'Église est particulièrement éloquente sur ces formes de violence. Seul le pouvoir désacralisé, qui n'est plus un bien personnel dont on peut user (et abuser!), mais qu'on exerce en dépendance de Dieu (1 P 4, 11), peut devenir « service » au sens évangélique du terme. Et comme la sacralisation du pouvoir constitue une tentation lancinante et toujours actuelle, le pouvoir ministériel ne peut être vécu sous le signe du service que s'il est régulé par un autre pouvoir, essentiellement celui de la communauté ecclésiale.

III. LE PLURALISME

Le pluralisme s'exprime aujourd'hui dans l'Église tant sur le plan pastoral qu'au niveau doctrinal. En fait, ne se contente-t-on pas trop souvent d'une simple pluralité qui prend acte des différences ?

Sur le plan pastoral

Il est bien connu que des options pastorales diverses traversent la communauté ecclésiale : catéchèse, vie liturgique et sacramentelle, action catholique, etc.

D'une part, beaucoup de chrétiens déplorent les cloisonnements, la simple coexistence pacifique, le manque d'information réciproque, d'échange, voire de confrontation.

D'autre part, les idéologies et les motifs affectifs semblent dramatiser indûment et stérilement les oppositions. En tout cas, les affrontements sont difficiles à vivre, et le pluralisme devient un « lieu ecclésial » où se pose, de façon plus ou moins aiguë ou latente, la question de la violence. Peut-être avons-nous à redécouvrir l'unité comme un dynamisme, une tension féconde, l'union dans la différence et l'acceptation des réalités sociales et historiques diverses, toujours diverses et non pas idéalement destinées à se fondre dans un grand tout fusionnel qui n'a rien à voir avec la charité puisque les libertés y sont détruites.

C'est souligner la nécessité de structures d'accueil et de confrontation, à condition que dans ces lieux l'unité puisse se dire et se célébrer, et qu'ils ne soient pas établis sur la confusion, mais au contraire sur l'expression des véritables différences.

Au niveau de la foi

La question du pluralisme rejaillit sinon sur la foi elle-même, tout au moins sur la manière d'en rendre compte et de la formuler. Ne doit-on pas admettre un pluralisme des confessions de foi, dans la mesure où les chrétiens et les Églises locales sont enracinés dans des expériences historiques, culturelles, sociopolitiques diverses ?

Sans doute, on ne peut ignorer l'existence de nombreux chrétiens insécurisés, voire désorientés par la diversité des langages et des comportements. Mais n'oublions pas tous les autres qui souhaitent que l'Église soit un cheminement et non un ancrage immobile, fermé aux questionnements de la modernité. Ceux-ci éprouvent une désaffection et une allergie par rapport aux réponses toutes faites et péremptoires. Ils considèrent comme une forme d'endoctrinement et d'impérialisme toute invitation à se couler passivement dans les affirmations sentencieuses d'un autre. Ils dénoncent dans l'Église une forme de communication qui serait de type « gouvernants à gouvernés », « enseignants à enseignés ».

A travers ce refus de dogmatisme, ne faut-il pas déceler la découverte, plus ou moins consciente, d'une réalité très profonde et permanente de la vie de l'Église : la diversité des expressions de la foi ? Ce fut le mystère de Pentecôte (Ac 2, 9). On en trouverait aisément la justification dans les textes du dernier concile (*L.G.* 12 ; *G.S.* 44) ou dans telle déclaration du magistère (cf. *Mysterium Salutis*, juin 1973). Et comment ne pas souscrire à cette réflexion d'un théologien bien connu : « Les définitions dogmatiques doivent être réinterprétées à la lumière de notre lecture moderne de l'Écriture sainte et en fonction de notre expérience humaine et ecclésiale actuelle. Notre situation historique particulière est, en effet, un élément constitutif de notre compréhension du message chrétien. Sinon on risque de défendre une orthodoxie purement verbale[4]. »

Comment reconnaître et favoriser cette expression personnalisée de la foi et cette plus grande liberté à l'égard des « concepts théologiques » traditionnels sans compromettre l'unité de la foi ? Là aussi, n'y a-t-il pas un terrain « miné » où s'exerce une certaine forme de violence ? Tout le problème de l'œcuménisme entre les confessions chrétiennes est sous-jacent, mais il se pose déjà à l'intérieur de l'Église catholique.

IV. L'ÉGLISE,
SACREMENT DE LA RÉCONCILIATION

On ne peut aborder la question de la violence dans la vie ecclésiale sans avoir conscience des interférences qui existent en ce domaine, comme dans bien d'autres, entre l'Église et la société humaine. Les conflits, les contestations, les clivages socioculturels et politiques, les méca-

4. Claude GEFFRÉ, *Initiation à la pratique de la théologie*, t. I, Cerf, Paris, 1982, p. 136.

nismes des rapports sociaux qui traversent la communauté humaine traversent aussi la communauté ecclésiale. La violence de la société rejaillit dans l'institution « Église ».

Et cependant, loin d'accepter passivement les aléas de l'Histoire, l'Église se sait envoyée pour une mission originale de réconciliation. Cette mission est originale d'abord dans le fait qu'elle vient d'un Autre qui en demeure la source permanente : « Dieu nous a réconciliés avec lui par le Christ et nous a confié le ministère de la réconciliation » (2 Co 5, 18). Vatican II présente l'Église, dès l'introduction de la constitution *Lumen Gentium*, comme le peuple de la réconciliation : « L'Église est, dans le Christ, comme un sacrement, c'est-à-dire le signe et l'instrument de l'union intime avec Dieu et de l'unité de tout le genre humain » (*L.G.* 1).

Don de Dieu et œuvre des hommes — deux dimensions nécessaires pour qu'il y ait sacrement —, la réconciliation constitue une tâche centrale pour les chrétiens[5]. Mais ce service reçu du Christ, l'Église ne pourra le rendre au monde que si elle accueille et vit la réconciliation au plus profond d'elle-même.

5. Reconnaissons, sans triomphalisme ni excès de bonne conscience, que les droits des opprimés, des réfugiés, des immigrés, des peuples les plus pauvres, deviennent une préoccupation constante de nombreux chrétiens : en témoignent la croissance spectaculaire, ces dernières années, d'organismes comme le CCFD, l'ACAT, ainsi que la participation de beaucoup de croyants dans les organisations non confessionnelles, telle Amnesty International. Mais des questions se posent aussi aux chrétiens par rapport à leurs communautés : la lutte des classes dans l'Église, la domination culturelle des Églises riches sur les pauvres, le racisme dans les rencontres, la place des femmes dans les fonctions ecclésiales, le statut des divorcés, etc. Comme nous sommes loin de la perspective tracée par le conseil permanent de l'épiscopat français en janvier 1972 : « L'Église, pour être fidèle au mystère de la réconciliation qu'elle célèbre, doit offrir à tous un espace où les accueillir... » (cf. Documentation catholique, 5 mars 1972, p. 225) !

L'Église ne peut exercer ce ministère que si elle donne le témoignage d'une société de chrétiens divisés mais réconciliés dans la miséricorde de Dieu. Elle ne sera ministre de la réconciliation que si elle est aussi « sujet » et bénéficiaire de la mission qu'elle remplit. Sinon ses discours et même ses engagements les plus concrets apparaîtront peu crédibles.

Tout chrétien, toute communauté ecclésiale est appelé à manifester que le Peuple de Dieu se rassemble et se construit dans le témoignage d'un don accueilli. Peuple de témoins qui n'est pas celui des bien-pensants, des bien-exécutants, des ayants droit, mais celui des estropiés, des aveugles, des boiteux se rendant au festin des « noces royales » (Mt 22, 1-14).

C'est dans ce dynamisme qu'il convient de situer le sacrement de la réconciliation. La célébration de la pénitence n'a lieu en vérité que si elle signifie une réalité déjà présente et vécue, tout en demeurant anticipatrice de la même réalité dans sa plénitude. Nous ne pouvons pas être réconciliés avec le Père, avec nos frères, avec nous-mêmes sans devenir réconciliateurs. Témoignage fragile et précaire face aux puissances formidables de division et de violence, mais qui puise à la bonne source.

« Maintenant, en Jésus-Christ, vous qui jadis étiez loin, vous avez été rendus proches par le sang du Christ. C'est lui, en effet, qui est notre Paix : de ce qui était divisé, il a fait une unité. Dans sa chair, il a détruit le mur de la séparation : la haine... Il a voulu ainsi, à partir du juif et du païen, créer en lui un seul homme nouveau en établissant la paix, et les *réconcilier* avec Dieu tous les deux en un seul corps, au moyen de la croix ; là, il a tué la haine » (Ép 2).

Chapitre XI

HUMAINE VIOLENCE
par Henri COULEAU

Au terme de cette recherche, nous pouvons peut-être, non pas faire une synthèse qui réduirait à l'excès le contenu et effacerait l'originalité de chacune des interventions, mais tenter de dégager les lignes directrices qui semblent traverser ces différentes approches.

I. LA VIOLENCE, DÉVIATION DE LA VIE

On peut constater d'abord que l'on ne trouve jamais la violence comme un concept « premier » ; d'où la difficulté de la définir au départ, sinon dans la parenté étymologique avec ce qui signifie « la vie ». Et de là, une tendance à confondre cette violence avec ce qui n'est pas elle. Le mot grec *Bia*, « force vitale », est bien dérivé de *Bios*, « la vie », mais la violence véritable est plutôt une « déviation » de l'élan vital, une perversion. C'est toute la différence qu'établit Denise Van Caneghem[1] entre combativité et agressivité. La combativité est, selon elle : « L'ensemble des combats adaptatifs pour l'individu et son espèce. » S'adapter, pense cet auteur, c'est entrer en relation, en communication, d'ailleurs souvent ritualisée, et ce n'est que dans l'échec de cette « communication adaptatrice » que la combativité se pervertit en agressivité soit contre l'autre, soit envers soi-même. L'agressivité serait un « déchet », dit-elle, un « sous-produit », une issue malheureuse de la combativité. Nuance qui nous paraît importante sur le plan éducatif. N'allons pas voir et brimer trop vite chez l'enfant une combativité naturelle et nécessaire, qui nous apparaît à nous, adultes, comme agressive. On pense au mot célèbre de Jean Château : « L'enfant n'a pas seulement besoin de grandir, mais aussi de se grandir. » La croissance psychologique de l'enfant et de l'adolescent est une série de crises, qui sont des temps difficiles d'adaptation à de nouveaux modes de pensée et de relation. La solution de l'œdipe, qui est réactivé dans l'adolescence, c'est de « prendre la place » de l'autre, de l'adulte, du parent. Winnicott[2] analyse très bien le « jeu du château » qui symbolise ce combat. Mais avant d'en venir là, l'enfant a pratiqué bien des conduites que l'on dit de « prouesse », de « conquête », et qui sont l'expression naturelle, positive d'un élan humain constructif du monde et de soi. C'est, au contraire, cet élan empêché qui devient agressif et anxiogène chez l'enfant. Il y a un âge où « faire du bruit » est un appel à autrui, comme encore chez l'adulte certaines « provocations » sont des tentatives pour amorcer une relation. Il est légitime de

1. Denise Van Caneghem, *Agressivité et Combativité*, PUF, Paris, 1978.

2. Winnicott, *Jeu et Réalité*, Gallimard, Paris, 1975.

s'affirmer, nécessaire d'exister, ne serait-ce que pour que l'autre nous rencontre.

Cessons donc de voir de la violence chez le jeune, chez l'autre lorsqu'il déploie une combativité qui nous interpelle, nous dérange, nous demande tout simplement des réponses difficiles.

André Dupleix a bien évoqué la violence dans certains épisodes de la vie de Jésus. Cela nous prouve bien qu'Il était vivant et s'était fait « homme ». L'ambiguïté de cette violence est levée, chez Lui comme chez nous, dès lors qu'elle ne vise pas à détruire l'autre, mais à le rencontrer.

II. LE SCANDALE DE LA VIOLENCE

Si la violence est une déviation de la vie, au regard de la combativité, de l'identité et de la communication, elle nous apparaît surtout, après ces différentes approches, comme une sorte de « scandale ».

Ruptures

Sur le plan de l'économie déjà la violence, depuis environ deux siècles, se nomme la « crise », c'est-à-dire. la rupture avec la rationalité, la logique d'un système. Au niveau psychanalytique, Thanatos, pouvoir de mort, de destruction de l'autre ou de soi-même, vient contredire la pulsion de vie et menacerait même la conservation de l'espèce. La philosophie nous montre que jamais la violence n'a été pensée comme une fin en soi, mais qu'elle est le fait d'une situation provisoire, et disons-le, malheureuse ; une inadéquation de l'homme avec la nature ou des hommes entre eux. Là encore, une rupture par rapport à une harmonie passée ou à venir. Quant au pouvoir, la violence se confond avec lui lorsque l'autorité ne remplit plus sa fonction attendue qui est, selon l'étymologie, d'augmenter l'autre, de le grandir. La Bible nous donne certes un spectacle de violence, mais qui, de plus en plus, s'oppose au véritable dessein de Dieu sur l'homme, ce passage à une « autre dimension » dont la mort de Jésus est la plus éclatante manifestation. La théologie, d'ailleurs, montre bien que l'ordre de l'amour est un ordre nouveau, un nouveau type de rapport, qui réconcilie mais, surtout, met fin à cette rupture initiale, à cet « éloignement » qu'est le péché.

Bref, la notion de violence ne peut être saisie que dans un rapport d'opposition, et l'on peut dire que si l'on ne croyait pas, au moins de façon implicite, à ces valeurs citées, à savoir l'équilibre économique, le triomphe de la vie, le règne de l'amour, on ne parlerait pas de violence, on n'en aurait même pas conscience. Elle n'apparaît que par ce qu'elle n'est pas, ne sait pas être, ne peut pas être. Elle est bien une rupture. D'ailleurs, le sens commun nous le dit : lorsqu'on « se fait violence », c'est toujours lorsque l'on ne va pas dans le sens immédiatement naturel, normal, spontané, lorsque l'on « force les choses ». Nous disions plus haut « scandale », mais le scandale n'éclate que sous la lumière des valeurs qu'il compromet. Au fond, le seul fait de parler de violence, de la dénoncer ou plus simplement de la déplorer, revient implicitement à affirmer une croyance en tout ce qu'elle n'est pas, qu'elle contredit, qu'elle trahit. Ceux mêmes qui tentent de justifier la violence ne peuvent se passer d'un système de valeurs qui la soutienne et en même temps la dépasse. Ainsi, tous ceux qui la choisissent comme un moyen — que ce soit dans la répression ou la subversion — s'empressent de lui faire poursuivre des fins, de lui faire servir des causes qui la transcendent. Nous évoquions Calliclès au début de cet ouvrage : le célèbre sophiste se garde bien de proclamer le droit d'écraser le faible. « Tes bœufs sont à moi, puisque je sais mieux labourer que toi. » Argument de l'efficacité — que l'on retrouvera d'ailleurs, plus ou moins avoué, dans la conquête coloniale. Et, plus généralement, Calliclès veut rompre avec la prétendue égalité entre les hommes, « au nom de la vie » qui se trouve enfermée chez les forts et qu'il faut libérer. Nietzsche fera le même raisonnement, selon lequel les faibles n'ont pas à décourager, à entraver les forts, à les empêcher de « vivre et de créer ». On voit que les partisans de la force n'ont jamais pu poser la violence, à elle seule, comme un droit et une fin.

Voilà bien un paradoxe : alors qu'au niveau des faits elle s'impose comme une évidence accablante, la violence, au niveau du droit et de la valeur, est d'une radicale inconsistance.

Fausse justification

D'aucuns auraient voulu trouver une justification de la violence des hommes dans la nature qui les entoure et, plus particulièrement, dans le monde animal. On se souvient des discours délirants d'Hitler qui voulait légitimer ses théories racistes en prenant appui sur les « guerres cruelles du monde animal ». Dans un ordre plus banal, on peut trouver des titres utilisés par des revues à prétention scientifique : « Expéditions punitives chez les hyènes » ou « Guerre chimique des reptiles ». Méfions-nous là aussi d'un anthropomorphisme coupable par lequel nous mettrions au compte des animaux une violence qui, en réalité, n'est que celle des hommes. On fait remarquer actuellement que les thèses de Darwin sur l'origine des espèces ont certes heurté les convictions religieuses de l'époque, mais que l'idée de « sélection naturelle » ne manquait pas en même temps de satisfaire le libéralisme économique de la société victorienne, pour qui la règle devenait : « Que le meilleur l'emporte. »

En réalité, la nature est impressionnante d'harmonie pour qui sait la regarder pour elle-même sans y projeter ses intérêts et ses passions. Mais les hommes cherchent des modèles, des antécédents pour trouver des excuses.

La thèse de Lorenz[3] est intéressante sur ce point. Elle nous montre que l'agression, chez l'animal, qu'il s'agisse de se nourrir ou de se reproduire, « est toujours dans la dynamique d'une fonction utile ». Elle est bien, alors, une nécessité de la vie en général et non la volonté perverse et « gratuite » d'un individu en particulier. Le mérite de la thèse de Lorenz est de nous montrer qu'il n'y a « attaque » chez les animaux que dans une relation de proie à prédateur. L'agression n'est ici qu'un instrument au service de la conservation ; elle disparaît avec la réalisation de cette fonction. Il y a bien aussi un partage entre les animaux spécifiques des territoires, des femelles ou des rôles, mais, cela étant respecté, règne alors « un grand équilibre fait surtout d'indifférence », nous dit l'auteur. Il nous montre, de plus, qu'avant d'en venir au combat l'animal utilise une quantité de « signaux dissuasifs », par exemple pour protéger une zone précise où la reproduction se déroulera sans être perturbée.

Certes, des situations comparables peuvent se retrouver chez l'homme, mais on ne peut, en aucune manière, suivre les extrapolations de certains éthologistes, comme Laborit ou Montagner, qui passeraient trop facilement de l'animal à l'homme sans solution de continuité. Lorenz lui-même a commis l'excès d'analogies abusives : ne veut-il pas nous convaincre, par exemple, que le comportement des dirigeants soviétiques ou américains ressemble à celui de l'oie cendrée ?...

3. KONRAD LORENZ, *L'Agression*, Flammarion, Paris, 1965.

III. LA VIOLENCE HUMAINE

On ne peut passer de l'agression animale à la violence humaine, et cela nous paraît un point important dans les conclusions que nous avons à tirer. Nous disions plus haut que l'homme avait « sa » violence. L'animal, emmuré dans ses instincts, programmé dans ses conduites, exécute de façon prévisible, et parfaitement, tous les comportements « nécessaires » à la vie, déterminés par des réactions physiologiques, des sécrétions endocriniennes. Il est évident que chez l'homme la colère a un support biologique, et l'on a pu évoquer le rôle de la testostérone dans ses comportements agressifs.

Les influences de la culture

Mais, à l'inverse de l'animal, l'homme est un être « ouvert » au futur. Son organisation est moins rigide. La plasticité fait de lui un être de « possible » et non de « nécessaire ». Son agressivité, d'origine biologique certes, sera canalisée ou renforcée par des types d'apprentissages et d'éducation. Bref, l'homme a une histoire, ou plutôt il « est » une histoire. C'est l'intérêt des travaux de Margaret Mead[4] d'avoir montré combien le biologique chez l'homme se composait et, en définitive, se modifiait avec le culturel. Deux tribus voisines, les Arapesh et les Mundungumor, par des méthodes d'éducation radicalement différentes, préparent les enfants à une vie d'adulte, chez les premiers pacifique, chez les seconds agressive et guerrière.

Sartre avait bien raison de dire qu'en se choisissant on choisissait les autres. La culture, et par là l'éducation, est le « projet » d'une société. Et en ce sens on peut dire

4. Margaret MEAD, *Mœurs et Sexualité en Océanie*, Plon, Paris, 1963.

que nous sommes responsables d'un certain degré de violence dans les générations qui nous suivent. En un certain sens, la violence s'apprend.

Mais cet apprentissage n'est pas toujours délibéré comme dans les peuplades d'Océanie. Il peut être le résultat, hélas! plus durable et plus massif, de conditions d'existence dont la responsabilité dépasse de beaucoup celle du couple parental ou du milieu familial. Le rapport Peyrefitte est éloquent à ce sujet. Voici, par exemple, ce que l'on peut y lire concernant les villes : « Les habitants des grandes villes ont conscience de la violence de leurs comportements. Ils admettent se conduire ainsi plus souvent que la moyenne des Français... La ville où tant d'êtres vivent côte à côte, collectivisés, en foule, la ville, malade de sa croissance, est devenue aussi, non sans paradoxe, solitude. Les citadins perdent leurs points de repère et leur identité. Ils se dépersonnalisent dans la monotonie et le béton... La ville nourrit l'agressivité de ses habitants, amorce d'un cycle. La violence apparue, l'insécurité se développe. Ainsi s'élargit la spirale de la violence... L'individu tend à ménager autour de lui un espace physique nécessaire à son équilibre psychologique. Si, en raison de l'excessive concentration humaine, un tel espace ne peut être maintenu, des tensions ne tardent pas à apparaître. Lorsque le seuil de tolérance à la présence des autres est passé, des réactions d'agressivité se produisent... La ville fournit aux citadins des modèles violents constamment renouvelés à quoi ils peuvent s'identifier et qu'ils peuvent chercher à imiter[5]. »

Ce rapport met en évidence toutes les influences de l'environnement — et elles sont nombreuses et variées — sur le processus de la violence.

---

5. Extraits de : *Réponses à la violence*, rapport du comité présidé par Alain Peyrefitte, Presses Pocket, Paris, 1977, 2 vol.

Mais où est exactement la violence ? Chez les citadins qui manifestent colère et agressivité ? Ou bien chez ceux qui ont « pensé », décidé ces « concentrations » excessives, et dont les choix ont surtout satisfait aux lois du profit ?

Il y a bien de la violence « en acte », mais il y a aussi une violence de « situation », créée, entretenue par d'autres, qui, sans colère et sans agression, satisfont leur passion du pouvoir ou de l'argent. Et l'on a en mémoire la célèbre distinction faite par Kant : « L'émotion est une rivière qui rompt sa digue, la passion un torrent qui creuse son lit. » Il y a bien des violences passagères, ponctuelles, immédiatement visibles, et d'autres, plus cachées et plus anonymes, qui sont la cause, hélas ! plus durable des premières.

A ce niveau nous voyons de façon encore plus éclatante que la violence « profonde » est de l'homme, avec tous les moyens d'intelligence et d'imagination dont il dispose et dont il ne trouve, s'il est de bonne foi, aucun modèle dans la nature qui l'environne.

Les sources de la violence

Mais si l'homme a l'exclusivité de la véritable violence, comme il a le privilège de la raison et de la liberté, la tient-il de sa nature ? La violence est-elle innée ou acquise ?

Violence fondatrice : René Girard

C'est un des intérêts de la thèse de René Girard de nous montrer combien toute culture est pétrie de violence. Cette dernière est « fondatrice » comme le crime de Caïn sur Abel ou de Romulus sur Remus. Et le mythe fondateur est non seulement la violence des origines, mais aussi celle que cette culture sera amenée à reproduire pour se reconnaître — le sacrifice évacue la violence du groupe mais reproduit le meurtre. Mais, dans ces exemples quelque peu privilégiés, on voit l'essentiel de la thèse de Girard selon laquelle l'agressivité s'exprime dans une situation de rivalité. Toute la pensée de l'auteur nous semble contenue dans sa première œuvre : « Mensonge romantique et vérité romanesque[6] ». Selon lui, le mensonge romantique a consisté à remplir le moi de passions, alors qu'en vérité il serait « vide ». On ne désirerait que ce que l'autre détient et parce qu'il le détient. C'est seulement une situation de rivalité, de concurrence qui créerait le désir. D'où le rôle destructeur de l'imitation, par laquelle voulant être l'autre on le détruit.

On comprend dès lors le peu d'affinité de René Girard avec la psychanalyse qui nous décrit au contraire un moi entièrement investi par les pulsions. Cette thèse, qui a eu le mérite incontestable d'analyser le mécanisme sacrificiel dans le rapport de la violence au sacré, attire cependant une suite de remarques.

D'abord on comprend mal qu'un moi, aussi vide en lui-même, se trouve en même temps animé d'une jalousie radicale et meurtrière. Pour l'auteur, le romantisme est tombé dans l'illusion d'un moi empli de passions parce qu'après la société monarchique, faite de trois « ordres » bien distincts, le XIXe siècle est un temps où les classes sociales n'ont plus ces barrières infranchissables, et donc se rencontrent, se combattent, rivalisant entre elles, chacune voulant les privilèges de l'autre — certains n'ont pas manqué de souligner les implications réactionnaires d'une telle analyse. Quant à nous, nous pensons que dans une société où un enfant de quatorze ans travaillait quatorze heures par jour à la mine, la violence ne procédait pas de la seule rivalité.

6. René GIRARD, *Mensonge romantique et vérité romanesque*, Grasset, Paris, 1961.

Enfin, l'imitation n'est pas toujours la destruction de l'autre. Il serait trop long ici de décrire tout le processus de l'identification dans la genèse de la personnalité. Mais René Girard en reste, semble-t-il, à une imitation primaire, où l'autre est un obstacle pour soi-même. Dans sa réflexion sur le rôle que les médias peuvent jouer dans l'incitation à la violence, Bernard Ricart nous a montré ici la nécessité d'une « distance ». Il faut, nous dit-il, apprendre le recul : « A émetteur fort, il faut un récepteur fort. » C'est tout le problème de l'accession au symbolique, qui n'est pas toujours une chose garantie et définitivement acquise. Mais si l'enfant a rompu avec la phase fusionnelle des débuts de la vie, s'il a vécu dans l'œdipe une relation triangulaire, c'est-à-dire s'il a brisé le couple duel qu'il formait avec la mère ; bien plus, s'il a joué (comme dans le célèbre jeu de la bobine) la présence de l'être cher en son absence, bref, s'il est devenu capable de « se représenter » un monde distinct des symboles qui l'évoquent, une sorte d'« au-delà », il pourra imiter l'autre sans le copier exactement et jalousement, avec cette distance personnelle et libre qui laisse au modèle la place et le temps d'exister. Il n'y a plus, dans la relation symbolique, cette fusion où, sentant que je me perds en l'autre, je cherche à le détruire pour me sauver.

On sait aujourd'hui que bien des délinquants ont des problèmes avec la loi parce qu'ils n'ont pas été confrontés, dans l'œdipe, à la « loi du père », parce qu'ils sont restés dans une situation fusionnelle difficilement supportable et donc source de violence.

Ainsi, la violence « originelle » est plus facile à décrire dans les origines lointaines et mythiques de la culture qu'à vérifier exactement sur le plan de l'ontogénèse, dans l'évolution d'un individu, la constitution d'une personnalité. Tout nous montre qu'un parcours peut être manqué, qu'une histoire peut être interrompue, qu'une évolution peut être compromise ; ou encore que ses résultats ne sont jamais définitivement acquis.

« *Aux origines du moi* » : *Mélanie Klein*

Mélanie Klein[7] a voulu, elle aussi, apporter des arguments dans le sens d'une violence « aux origines du moi ». Elle reprend la thèse freudienne de l'« ambivalence », c'est-à-dire de ces deux pulsions contradictoires, Éros et Thanatos, qui cohabiteraient dans l'être dès le début de la vie, se confondant avec elle — notons au passage que Freud, théoricien de la sexualité essentiellement, n'est venu à cette notion de Thanatos, pulsion de détruire, qu'après la Première Guerre mondiale. Pour Mélanie Klein, le jeune enfant, déjà, désire et en même temps agresse le sein de la mère, cet objet qui tantôt est là — « le bon objet » —, tantôt se refuse — « le mauvais objet ». Mais dès que l'enfant aura conscience du temps, c'est-à-dire des rythmes, il fera vite l'unité de cette personne qu'est la mère, et l'on voit disparaître les fondements même de cette pulsion destructrice. Bien sûr, Mélanie Klein a eu le mérite de faire tomber le mythe de l'« enfance innocence ». Mais l'imaginaire du nourrisson est-il aussi féroce ? Ces fantasmes de dévoration, où le corps de la mère est perçu « comme une enveloppe à vider », sont-ils vraiment la réalité subjective de l'enfant ? On sait bien que l'affectivité, vécue dans l'ambivalence, conduit à l'agressivité, mais cette ambivalence se construit dans une relation manquée, empêchée. Cet autre que je désire, je suis amené à le haïr parce qu'il se refuse, m'est impossible. Et nous voyons alors réapparaître le paramètre historique dans la genèse de la violence, c'est-à-dire l'événement, la situation qui a rendu la relation impossible.

---

7. Mélanie KLEIN, *La Psychanalyse des enfants,* PUF, Paris, 1975.

168

Les frustrations

C'était l'hypothèse, plutôt optimiste, de Platon qui faisait dire à Socrate : « Nul n'est méchant volontairement. » Selon les sages, le mal est d'abord malheur, et personne ne peut choisir librement le malheur. Ainsi, celui qui est méchant serait déjà dans la souffrance. On voit ici une préfiguration de la théorie psychanalytique de la frustration.

En aucun cas on ne peut rejeter facilement cette thèse, tant de faits venant la conforter au niveau surtout d'une psychanalyse des groupes.

On cite souvent, en ce sens, la *Jeanne d'Arc* de Dreyer. L'auteur nous montre à la fin du film la préparation du bûcher : cette fille jeune, saine, belle va brûler ; c'est donc la « fête », mais pas également pour tous. Au premier rang se pressent les culs-de-jatte sur leurs chariots, puis les borgnes, puis les manchots, puis les affamés, alors que se perdent dans le fond les vagues silhouettes de ceux dont les corps n'ont pas souffert.

Sur un plan plus rigoureusement historique, on explique la fin de la Terreur selon le même principe — mais qui fonctionne dans un sens inverse —, Tallien, en faisant voter la chute de Robespierre, a peut-être voulu sauver la tête de sa future femme qu'il venait de découvrir dans les prisons de Bordeaux — ainsi va l'Histoire pour les partisans de l'explication événementielle. Mais le fait essentiel, la cause profonde et plus lointaine, c'est que depuis la victoire de Valmy la situation s'était inversée : la Terreur, avec son cortège quotidien de suspicions et d'exécutions capitales, devenait insupportable à un moment où l'ennemi avait repassé les frontières, où la révolution n'était plus menacée, où elle n'avait plus à craindre pour l'avenir de son message.

Ainsi il n'est jamais de l'intérêt des peuples d'humilier l'un d'entre eux, de le « mettre à genoux ». Cela revient à accumuler une souffrance, un manque d'être qui s'exprimera tôt ou tard en violence. C'est toujours un groupe menacé qui cherche des traîtres parmi les siens. René Girard, que nous citions plus haut, a bien analysé le mécanisme du « bouc émissaire », mais cela reste, chez lui, assez intemporel, sorte de rite nécessaire de la culture en général ; alors que si on le veut bien on peut trouver des situations historiques précises, avec des responsabilités elles aussi précises.

Quel historien actuel nierait le rôle capital joué par la crise économique en Allemagne dans la montée du IIIe Reich et de tous les crimes qui s'ensuivirent — il y avait six millions de chômeurs en Allemagne en 1932 ?

C'est peut-être, au-delà des considérations humanitaires sur la situation dégradante qui est faite à l'homme dans le chômage, le problème le plus grave de nos sociétés industrielles en crise : elles sont, par là même, germe de violence à travers toutes les formes d'exclusion, de racisme et d'extermination.

Malgré cela, on ne peut pas dire que l'homme comblé de biens cesserait d'être violent. Ce n'est pas « l'avoir » qui compte ici, c'est « l'être ». C'est un peu cette situation intérieure que désignait l'idée de justice chez Platon : l'harmonie de l'âme — encore que cette sagesse reste une solitude, reconnaissant son impuissance sur la violence des autres.

La peur de mourir

En réalité, la frustration, la privation ne sont génératrices de violence que parce que vécues comme une peur, une peur de la mort. S'éloignant de la thèse de Freud sur ce plan, Bettelheim[8] écrit : « Ce n'est pas une lutte entre les pulsions de vie et les pulsions de mort qui gouverne la

8. BETTELHEIM, *Survivre*, Lafont, Paris, 1980.

vie de l'homme, mais une lutte des pulsions de vie contre le danger d'être écrasé par la mort. »

Le rapport de la violence à la mort est double : d'abord parce que la violence produit de la mort en détruisant l'autre réellement ou symboliquement — nous avons vu qu'on pouvait tuer l'autre en le ravalant à un statut d'objet.

Mais aussi parce que la violence procède de la mort, qu'elle trouve son origine dans l'angoisse de la mort. On sait combien le besoin de sécurité est grand chez chacun de nous. La soumission à l'autorité n'est peut-être pas seulement un phénomène culturel d'éducation, mais le besoin de « se sentir protégé ». Comme derrière les comportements violents d'autodéfense, se dissimulent des peurs irrationnelles de dangers mal définis qui pèsent sur notre vie.

Le psychanalyste italien Fornari[9] a très bien analysé ce rapport de la violence à la peur, à l'angoisse. Selon lui, nous sommes sur ce point dans l'illusion psychotique. En nous inventant des ennemis, ou en les conservant précieusement comme tels, nous nous confortons dans notre prétendue supériorité sur la mort. Cette mort, nous préférons la voir dans l'autre plutôt qu'en nous-mêmes. Ainsi, « chaque crime est inspiré par l'illusion de vaincre la mort pour soi en tuant l'ennemi ». De même, nous admettons le principe de la guerre parce que nous y voyons le seul moyen de nous protéger contre une menace de mort. « La peur de la violence contre moi me tient mobilisé dans la violence contre l'autre », nous dit Fornari. Au fond, j'arrive à me convaincre que la mort de l'autre c'est ma vie à moi. « L'ennemi devient le dépositaire de la mort que nous avons projetée sur lui. » Et puis, j'ai besoin d'un ennemi qui soit à détruire, donc

9. Fornari, *Psychanalyse de la situation atomique*, Gallimard, Paris, 1973.

« tout mauvais » pour que je puisse me penser « tout bon ».

Cette analyse qui nous intéresse, comme toute analyse, renvoie à soi-même. Pourquoi cette angoisse de la mort ?

Bien sûr, il ne s'agit pas seulement de la mort-événement, de celle qui viendra à la fin de la vie, mais il s'agit de la mort « ontologique », de celle qui constitue la vie, qui est à l'intérieur de l'être, de l'« existant ».

Alain Marchadour nous rappelait la Genèse : « Lorsque l'homme sort du paradis, lorsqu'il inaugure l'aventure humaine, il entre dans la violence et le meurtre. »

Ajoutons bien aussi que l'homme entre ainsi dans le temps et donc dans la mort. Heidegger a raison de dire que « commencer à être, c'est commencer à finir ». Entrer dans l'existence, c'est entrer dans ce temps irréversible, donc un temps qui dans le premier instant contient, en quelque sorte, déjà le dernier. Heidegger nous fait remarquer très judicieusement que l'espace est la forme de notre impuissance. Ou encore, dit-il : « J'ai l'espace, alors que je suis le temps. »

Ainsi, entrer dans l'existence c'est entrer dans la finitude, pour reprendre le mot de Paul Ricœur, et c'est peut-être, comme il nous dit, entrer dans le péché, si tant est que le péché soit tout autant un état qu'un acte. Il est curieux de voir que tous les philosophes qui ont cherché une solution à la violence ont imaginé un temps « arrêté », soit avant que l'Histoire ne se mette en marche — comme chez le bon sauvage de Rousseau —, soit à la fin de la lutte des classes, dans une histoire enfin achevée comme nous la décrivent Hegel ou Marx.

Il semble ainsi impossible de concevoir tout « devenir » de l'homme sans violence qui l'accompagne, ou plutôt qui s'y trouve contenue. Situation provisoire, mais tragique où l'homme n'est plus... ou n'est pas encore... Un temps auquel il doit mourir pour qu'un autre renaisse. C'est peut-être le problème de la violence, dans son lien avec celui de la mort qui montre le mieux les convergences inattendues entre des idéologies en apparence étrangères, voire opposées.

La force d'aimer

La notion de réconciliation, qui est si forte dans le christianisme, apparaît en bien d'autres courants de pensée comme l'innocence enfin reconquise, c'est-à-dire l'adéquation totale de l'homme avec la nature, ou des hommes entre eux. Il est légitime que les chrétiens appellent péché cette perte de l'innocence, cette distance, cette rupture que la croix et le salut viennent effacer. Mais lorsqu'il s'agit de réconciliation, ne tombons pas dans le travers d'un « moralisme doucereux » dont certains ont qualifié l'attitude religieuse.

Il faut sans doute promouvoir le dialogue à travers toutes les formes de rencontres entre les hommes les plus éloignées par la culture, la race, les origines, les aptitudes.

Sans doute, faut-il faire tomber cette peur de l'autre, qui n'est souvent que la peur déguisée de soi-même, comme nous le montrait l'analyse de l'illusion psychotique.

Mais, ne nous y trompons pas, la solution est en chacun de nous. La réconciliation avec les autres passe par la réconciliation avec soi-même. André Dupleix, dans une approche théologique, nous a montré que l'Amour ne consistait pas à substituer à la violence une « absence de violence », mais une « force ». Quelle nuance par rapport à toutes les résignations coupables et les laisser-faire du pacifisme équivoque ! Comprenons bien : la force d'aimer, c'est mettre fin le plus possible à cette crispation de notre être sur lui-même, à cet entêtement qui lui fait nier le temps et la finitude. La force d'aimer, c'est ne plus rejeter sur l'autre la mort et le mal, c'est prendre position humblement mais courageusement face à notre propre mort, à notre propre mal, les sources de toute violence.

BIBLIOGRAPHIE

Cette bibliographie — non exhaustive — indique des revues dont un numéro traite de la violence — et des ouvrages ou articles, selon trois pistes de travail :

I. REVUES

Approches, cahier n° 12 (1976), « La violence, la dénier ou la traiter ? ».

Approches, cahier n° 31 (1981), « La violence, comment la comprendre ? ».

Autrement (novembre 1979), « Enfants et violence ».

Autrement, n° 36 (janvier 1982), « La télé, une affaire de famille ».

Christus, n° 106 (1980), « La violence de la parole ».

Communio, n° 2 (1980), « La violence et l'esprit ».

Documentation française (mai 1980), « Prévenir la violence ».

Documents, n° 20 des groupes secondaires de la paroisse universitaire, 1980-1981, « Chrétiens dans un monde de violence ».

Documents Service Adolescence, n° 41 (1981), « Violences... ».

Le Supplément, n° 119 (1976), « La violence ».

Le Supplément, n° 143 (1982), « Études sur la violence ».

Lumière et Vie, n° 91 (1969), « Violence ».

Lumière et Vie, n° 152 (1981), « Violence et peur ».

Recherches et Débats (1967), « La violence ».

Revue internationale des sciences sociales, n° 4 (1978), « La violence ».

II. OUVRAGES

1° Pour une approche anthropologique

BUTEN, H., *Quand j'avais cinq ans, je m'ai tué*, Seuil, coll. « Virgule », Paris, 1981.

CLUZEL, J., *La TV est-elle une incitation à la violence ?*, Plon, Paris, 1978.

GIRARD, R., *Mensonge romantique et Vérité romanesque*, Grasset, Paris, 1981.

GIRARD, R., *La Violence et le Sacré*, Grasset, Paris, 1972.

DOMENACH, J.M., « Avec quoi faut-il rompre? » in *Esprit*, novembre 1974.

DE ROMILLY, J., *La Douceur dans la pensée grecque*, coll. « Études anciennes », éd. Les Belles Lettres, Paris, 1979.

FREUD, S., *Malaise dans la civilisation*, PUF, Paris, 1971.

GRANSTEDT, I., *L'Impasse industrielle*, Seuil, Paris, 1980.

HEGEL, G.W.F., *Phénoménologie de l'esprit,* Aubier, Paris, 1939, t. 1 et 2.

HEGEL, G.W.F., *La Raison dans l'Histoire*, Plon, coll. « 10/18 », Paris, 1965.

HANNAH ARENDT, *The Origin of Totalitarism*, New York, 1951.

HANNAH ARENDT, *L'Impérialisme*, Fayard, Paris, 1982.

LEFORT, C., *Les Formes de l'Histoire, essai d'anthropologie politique*, Gallimard, Paris, 1978.

LÉNINE, *L'État et la Révolution*, Éd. sociales, Paris, 1972.

MAFFESOLI, M. et PESSIN, A., *La Violence fondatrice,* Éd. du champ urbain, Paris, 1978.

MARX, K., *Le 18-Brumaire de Louis-Bonaparte*, Éd. sociales, Paris, 1969.

MARX, K., *La Guerre civile en France, 1871*, Éd. sociales, Paris, 1968.

MARX, K. et ENGELS, F., *Manifeste du Parti communiste*, Éd. sociales, Paris, 1973.

176

MARX, K. et ENGELS, F., *L'Idéologie allemande et Thèses sur Feuerbach*, Éd. sociales, Paris, 1974.

RICHIR, M., « L'aporie révolutionnaire », *in Esprit*, septembre 1976.

SEMELIN, J., *Pour sortir de la violence*, Éd. ouvrières, Paris, 1983.

SCHAFER, M., *Le Paysage sonore*, Éd. J.-C. Lattes, Paris, 1979.

SCHUMACHER, E.F., *Small is beautiful, une société à la mesure de l'homme*, Seuil, Paris, 1978.

SIMON, A., « Les Masques de la violence », in *Esprit*, novembre 1973.

WEIL, E., *Philosophie politique*, Éd. Vrin, Paris, 1952.

YAMBO OUALOGUEM, *Le Devoir de violence*, Seuil, Paris, 1968.

2° Pour un travail biblique

CAZELLES, H., « Bible et politique », in *Recherches de science religieuse*, n° 59 (1971), pp. 497-530.

COLLECTIF, *Non-violence et Ancien Testament; Évangile et non-violence*, polycopiés disponibles chez René MACAIRE, 98, boulevard des Rocs, 86000 Poitiers.

CULLMANN, 0., *Jésus et les révolutionnaires de son temps*, Delachaux, Paris, 1970.

GEORGES, A., « Jésus devant le problème politique », in *Lumière et Vie*, n° 105 (1971), pp. 5-17. Les notes de cet article constituent une mine bibliographique.

GUILLET, J., « Jésus et la politique », *in Recherches de science religieuse*, n° 59 (1971), pp. 531-544.

HENGEL, M., *Jésus et la Violence révolutionnaire*, Cerf, coll. « Lire la Bible », n° 34, Paris, 1973.

LÉON-DUFOUR, X., *Face à la mort, Jésus et Paul*, Seuil, coll. « Parole de Dieu, 18 », Paris, 1979.

SCHUERMANN, H., *Comment Jésus a-t-il vécu sa mort ?*, Cerf, coll. « Lectio Divina 93 », Paris, 1977.

3° Pour une recherche théologique

BOFF, L., *Jésus-Christ libérateur*, Cerf, Paris, 1974.

BORNKAMM, G., *Qui est Jésus de Nazareth?*, Seuil, coll. « Parole de Dieu, 9 », Paris, 1973.

BOSC, R., *Évangile, violence et paix*, Le Centurion, coll. « Croire et Comprendre », Paris, 1975.

BRETON, S., *Le Verbe et la Croix*, Desclée, coll. « Jésus et Jésus-Christ, 14 », Paris, 1981.

COSTE, R., *L'Église et la Paix*, Desclée, Paris, 1979.

KASPER, W., *Jésus le Christ*, Cerf, coll. « Cogitatio fidei », 88, Paris, 1976.

MOLTMANN, J., *Le Dieu crucifié*, Cerf, coll. « Cogitatio fidei », 80, Paris, 1974.

TEILHARD DE CHARDIN, P., *L'Avenir de l'homme*, Seuil, Paris, 1959, t. 5 des œuvres.

4° Témoignages et documents d'Église

CAMARA, H., *Spirale de la violence*, DDB, Paris, 1970.

ROMERO, O., *Assassiné avec les pauvres*, Cerf, Paris, 1981.

Épiscopat américain, *Le Défi de la paix. La promesse de Dieu et notre réponse*, Éd. ouvrières, Paris, 1983.

Épiscopat allemand, *La justice construit la paix*, Documentation catholique, 1853, p. 568 sq.

Épiscopat français, *Gagner la paix*, Centurion, Paris, 1983.

Synode 1983 (document préparatoire), *La Réconciliation et la Pénitence dans la mission de l'Église*, Centurion, Paris.

TABLE DES MATIÈRES

Achevé d'imprimer le 16 avril 1984
sur les presses de Jugain Imprimeur S.A.
à Alençon (Orne)
N° Imprimeur : 84-0264
N° Editeur : 7815
Dépôt légal : avril 1984